DANIEL VAX

LES NAUFRAGÉS DU CIEL

CASTOR PLUS

Le temps des héros, p. 185

Castor Poche Flammarion

Castor Poche
Collection animée par
François Faucher, Hélène Wadowski,
Martine Lang et Cécile Fourquier

Aux jeunes
qui veulent se dépasser.
Que le ciel leur soit serein.
Et quand il ne l'est pas,
qu'ils aient la force
de franchir les nuages...

Une production de l'Atelier du Père Castor

I. Je suis un avion cassé

Je suis un avion.

Un avion cassé.

Mais j'ai bien vécu. Et les six mois de ma brève existence m'ont conduit à connaître bien des aventures.

Surtout, ils m'ont permis de rencontrer trois êtres exceptionnels : mon pilote, mon mécanicien, mon commandant. Je suis fier de les avoir ramenés à bon port. Enfin, presque…

À ceux qui s'étonneraient de voir un avion, vulgaire machine, parler comme un livre, je répondrai qu'on a déjà lu, depuis l'aube de l'écriture, des récits de loups ou de poissons, de fourmis, de monstres imaginaires et d'êtres supposés habiter sur d'autres planètes. Alors, pourquoi pas celui d'un avion ?

Je n'irai pas dire que je suis la star de cette histoire vraie : sans pilote, un avion n'est qu'un assemblage savant de matériaux immobiles. Mais à l'inverse, sans l'avion, que vaut le pilote ? Il marche, comme un vulgaire piéton. Et ils ont marché, mes gars, dans le désert, ils ont marché !

Mais n'anticipons pas : personne ne pensait au désert, le 17 octobre 1929, jour de notre départ. Et tranchons le débat : si c'est moi qui raconte, c'est tout simplement parce qu'aucun de mes hommes n'a voulu le faire. Trop modestes : aucun d'entre eux n'a voulu attirer l'attention sur lui. Ils disent qu'ils ont tout accompli à trois, que chacun a été brave à son tour… Ou terrorisé… Ou les deux à la fois… Les vrais héros ne se vantent pas.

Moi, je peux vanter leur exploit. J'ai payé cher ce droit : une aile, un train d'atterrissage, et le lent engloutissement…

Qui sait, peut-être est-ce que je raconte aussi pour ne pas mourir totalement ?

Mais je devrais commencer par le début.

Je suis un avion Farman 192, construit en 1929.

Ce début de siècle était le temps héroïque de l'aviation. Grâce à la guerre – c'est triste à dire, mais les guerres font faire infiniment plus de progrès aux techniques humaines que les périodes de paix –, nos ancêtres, qui étaient de fragiles assemblages de bouts de bois et de morceaux de ficelles, avaient fait place à des engins un peu plus robustes et rapides.

Les avions de l'après-guerre demeuraient cependant des machines approximatives, pas très sûres, dotées de fort peu d'instruments de navigation et de quasiment aucune mesure de sécurité. En outre, une partie immense de la planète restait inexplorée par la voie des airs. Autant dire qu'il restait mille aventures à vivre, et qu'après la lutte contre l'ennemi, qui avait agité l'Europe pendant quatre ans, il restait la lutte contre l'inconnu, qui est autrement exaltante. Car, entre nous, y a-t-il plus noble combat que celui qu'on mène contre soi, contre sa propre fatigue, sa propre peur ? Et ils étaient fatigués, et ils avaient peur, ces fous qui cherchaient à vaincre les océans, ou les hautes chaînes de montagne, ou les vastes continents…

Cette époque a vu, concentrée sur quelques années, une collection exaltante d'exploits : Lindbergh, Guillaumet, Mermoz, Nungesser, Coli… Si ces noms ne vous disent rien, plongez dans une encyclopédie, chacun de ces hommes est un Ulysse moderne.

Mes concepteurs, à moi, étaient les frères Farman, Henri et Maurice. Deux calibres, dans leur genre. Ils étaient fils d'un grand journaliste anglais en poste à Paris : belle culture, portefeuille aimablement rempli...

Évidemment, ils s'étaient passionnés pour la folie de l'époque : arracher au plancher des vaches des «plus lourds que l'air». Après avoir admiré les travaux des autres, ils s'étaient mis au labeur eux-mêmes – il n'était pas très difficile, en ces temps, de construire un avion dans son garage. Enfin, si on pouvait appeler ça des avions ! Rendez-vous compte qu'Henri Farman, avant son premier décollage, a dû procéder à deux cent vingt-cinq essais au sol avant de trouver le bon réglage de son gouvernail de profondeur !

Les premiers avions des frères Farman ressemblaient à tous les engins de ce temps-là : à des espèces de cages à poules posées sur des roues de vélo et précédées d'une grande hélice qui avait la fâcheuse habitude de trancher les mottes de terre ! Pourtant, sur ces fragiles assemblages de lattes, de toile et de ficelle, Henri et Maurice ont battu des records d'altitude et de durée de vol... Audacieux, et géniaux bricoleurs, et surtout formidables veinards, les Farman – aucun aviateur de ce temps ne survivait longtemps s'il ne possédait pas une très grosse dose de chance.

Puis les cages à poules ont été remplacées par des engins de guerre, de plus en plus rapides, de plus en plus solides. Quand la guerre a été terminée, l'aviation s'est lancée dans la conquête du monde : il fallait des appareils capables de transporter quelques passagers, quelques sacs de courrier, sur des milliers de kilomètres. C'est à cette génération que j'appartiens, moi, Farman modèle 192, année 1929.

Je ne suis pas une cage à poules mais une solide machine. Il suffit de me regarder : une grosse carlingue de toile à angles droits qui repose sur le double triangle d'un train d'atterrissage en tubes. Mes roues sont à pneus, bien gonflées, mon moteur est soutenu par des longerons d'acier, mes ailes sont en robuste toile imperméable, tendue sur une armature de bois. Oui, c'est vrai, j'ai l'air un peu balourd. Mais je suis costaud ! Je peux atterrir sur n'importe quel terrain de fortune, me poser court, décoller presque aussi court, tiré par les 230 chevaux de mon moteur... Ne vous moquez pas ! Les avions de votre temps sont sans doute plus fins, plus élégants, plus rapides. Mais demandez-leur de s'arracher à une piste de brousse détrempée par la pluie, et vous verrez. Moi, je l'ai fait, plus d'une fois, j'étais de la race des baroudeurs.

Ma fierté, c'est mon moteur. Certains de mes cousins, les Farman 194 ou 199, sont tirés par d'énormes Hispano-Suiza en ligne de 6 cylindres, ou des Lorraine de 300 chevaux, qui fonctionnent à l'algol, un carburant spécial diablement explosif. Moi, j'ai le plus beau moteur du monde : un magnifique Salmson 9 cylindres en étoile de 230 CV, qui fait comme une grosse fleur d'un mètre vingt de diamètre, fleur dont les pétales seraient des blocs de métal garnis de tubulures et d'ailettes. Imposant, surtout quand il se met à tourner. Le démarreur électrique lui donne le premier élan, et soudain les neuf cylindres crachent leur puissance, dans un fracas de fin du monde. Car un avion de ma catégorie, naturellement, ne possède pas de silencieux sur son pot d'échappement : un tonnerre brut, qui entraîne directement une forte hélice en acier spécial. Non, je n'étais pas très beau, quand j'étais vivant. Mais j'étais fort.

C'est ainsi qu'ils m'ont choisi, mes hommes, sur catalogue : une silhouette trapue, une robustesse à toute épreuve. Enfin, presque…

Les acheteurs faisaient une belle affaire. Moi aussi.

2. Mes héros

Il est temps que je les présente, mes héros. Sur certaines photos, ils posent devant moi, adoptant cette attitude un peu figée qu'on avait à l'époque, pas parce que les gens étaient plus raides, mais parce qu'il fallait rester immobile si l'on voulait que l'image soit nette…

Le chef de mission se nomme Marcel Goulette. Un homme des Vosges, sérieux comme on sait l'être là-bas. Il est ingénieur des Arts et Métiers, passionné d'aviation. Il a fait la guerre dans cette arme, a fini capitaine en 1918, bardé de médailles. N'a même pas quarante ans en 1929, quand nous nous rencontrons. Est fou de joie à l'idée de voler à nouveau…

Le pilote est René Marchesseau, trente-deux

ans. Il a commencé la guerre dans l'artillerie, puis est passé à l'aviation. Un sanguin, capable des pires colères et des plus grands enthousiasmes. Sa devise est : «En avant!» Un des meilleurs pilotes de sa génération.

Le mécanicien est Jean-Michel Bourgeois, même âge. Un gars modeste, presque effacé. Pourtant, il joue un rôle essentiel dans l'équipe : de sa science va dépendre le bon fonctionnement de mon Salmson et de mes gouvernes, donc la vie de tout le monde. Accessoirement, l'ami Bourgeois tient un petit journal de bord. C'est à lui, souvent, que j'emprunterai mes souvenirs.

Un détail, qui souligne l'importance du gars Bourgeois : je ne possède qu'un moteur, et à mon bord, il n'y a pas de parachute. Donc, si le mécanicien ne fait pas bien son travail et que le moteur s'arrête, on devine la suite!

En 1929, année de notre aventure, l'avion a déjà conquis une grande partie du monde. Des milliers de milliers de kilomètres ont été parcourus depuis l'époque si proche, 1890, où Clément Ader a arraché son premier engin à l'attraction terrestre. Un à un, les obstacles les plus redoutables qui avaient si longtemps freiné la marche des hommes, ont été vaincus : franchies la Manche puis la Méditerranée, franchi l'Atlantique, franchies les Alpes et les Andes. Que reste-t-il à conquérir pour mes trois aventuriers ? Costes et Le Brix, après avoir enjambé l'Atlantique de Dakar au Brésil, sont remontés jusqu'à New York...

Mais l'Afrique ! C'est un continent immense, l'Afrique ! Certes, sa moitié nord commence à être visitée, il existe même des lignes régulières Toulouse-Alger, Toulouse-Casablanca-Dakar, depuis deux ans. Les grandes traversées, cependant, restent des épreuves longues et dangereuses.

— Madagascar ! s'écrie un jour Goulette. On va aller à Madagascar dans un temps record et, de là, on va pousser jusqu'à notre colonie de La Réunion, dans l'océan Indien !

C'est une fameuse promenade : plus de 9 000 kilomètres à vol d'oiseau, soit à peu près 12 000 kilomètres sur le terrain, compte tenu des inévitables détours.

— Nous devons réussir la traversée en dix jours au plus, si nous voulons prouver que l'avion peut avantageusement concurrencer le bateau ! insiste Goulette.

Les navires les plus rapides, en effet, les paquebots mixtes des Messageries Maritimes, prennent trois semaines pour relier Marseille à Madagascar, en passant par le canal de Suez. En effectuant la liaison en dix jours, on prouvera, c'est sûr, que l'avion est un transport d'avenir !

Dès lors, tout le monde se prépare pour le grand saut, à commencer par moi.

D'origine, je suis conçu pour transporter un pilote et quatre passagers. Je suis un avion de bonne taille pour l'époque : 10 mètres de long, 14,4 mètres d'envergure, un poids de 700 kilos à vide (celui d'une petite voiture). Je peux voler à un peu plus de 150 kilomètres/heure, ce qui n'est guère rapide, mais grâce aux quarante mètres carrés de surface de mes ailes, je peux décoller en deux cents mètres : lent, mais bon planeur !

Ma principale métamorphose pour l'aventure consiste à remplacer mes placards par... un énorme réservoir d'essence. En effet, nous aurons à franchir des étapes très longues sans ravitaillement. Il faut donc un important supplément de carburant. Hélas, il me transforme en une sorte de bombe volante... Bourgeois embarque aussi une réserve d'huile et toute une panoplie de pièces détachées dont il pense avoir besoin.

Hormis cela, je reste rustique, plutôt inconfortable et équipé de manière spartiate. Mes instruments de navigation se limitent, en tout et pour tout, à un «badin», système à tube qui permet de mesurer approximativement ma vitesse de déplacement dans l'air, et à deux compas (de grosses boussoles). Il y a aussi un altimètre, qui affiche en principe la hauteur de vol, s'il a été bien réglé, et un dérivomètre, qui permet d'estimer la dérive due au vent, à condition qu'on voie bien le sol. C'est tout.

Mon pilote ne dispose donc d'aucun appareil vraiment précis. Le badin affiche une vitesse, mais par rapport au vent : si le vent me pousse, je vais plus vite que ce que le badin indique à mon pilote, si le vent me freine, je vais moins vite... On ne peut qu'apprécier vaguement la progression, et essayer de corriger cette estimation en repérant, en bas, les routes, les fleuves, les villes remarquables. Mais il va y avoir des mers à traverser, des immensités de désert, les interminables forêts équatoriales, sur lesquelles aucun point remarquable n'existe !

Précisons encore que je ne suis pas équipé de radio : ces appareils sont trop lourds, avec leurs châssis de métal, leurs lampes et surtout leurs énormes batteries de plomb. Pas de parachute non plus, pour les mêmes raisons. Ni de phare d'atterrissage, ni de feu de signalisation, ni même d'éclairage de bord. La sécurité est réduite à son minimum. Il est vrai qu'avec les 600 litres d'essence de mes trois réservoirs (un dans chaque aile et le réservoir supplémentaire de la cabine), les pièces détachées jugées indispensables par Jean-Michel Bourgeois et les maigres bagages de mes trois passagers, je pèserai près de deux tonnes au décollage ! C'est énorme, et mon Salmson en étoile aura bien du travail pour m'arracher aux mauvaises pistes d'Afrique...

Ma préparation est exécutée dans un temps très court : les techniciens de Farman et de Salmson commencent mon montage au début de septembre 1929, les essais au sol ont lieu fin septembre, et Marchesseau prend mon manche en main le 12 octobre : vite, avant que quelqu'un d'autre n'ait la même idée !

À ma première sortie, on peint sur mon flanc et mes ailes mon nom de baptême : F-AJJB. « F » pour « France »...

Pendant que Marchesseau et Bourgeois se penchent sur ma mécanique, Goulette se livre à d'autres préparatifs, longs et pénibles : il faut obtenir toutes les autorisations administratives concernant le survol de l'Afrique, et négocier avec les autorités locales les indispensables ravitaillements en vivres et en carburant...

Le continent que nous allons traverser est, en 1929, divisé en cinq grands blocs coloniaux : l'Europe s'est partagé la quasi-totalité de l'Afrique entre la fin du XIXᵉ et le début du XXᵉ siècle. Ces blocs sont respectivement gouvernés par la France, la Grande-Bretagne, l'Italie, le Portugal et la Belgique. La route prévue par Goulette va nous faire traverser l'Afrique du Nord française, puis l'Afrique-Occidentale française jusqu'au Tchad, l'Afrique-Orientale anglaise, et enfin l'Afrique portugaise (Mozambique), pour une arrivée dans les colonies françaises de Madagascar et de La Réunion*.

Pour toutes les escales, il faut prévoir le ravitaillement en essence, en huile moteur et en vivres. Nous nous approvisionnerons auprès des

* Le lecteur moderne pourrait être surpris de la manière dont les Africains sont présentés par notre héros mécanique. Elle traduit, sous une forme très atténuée, le sentiment général des Européens de l'époque : pour eux, les Africains étaient d'éternels grands enfants, turbulents et indisciplinés mais «bien braves au fond». En résumé, des humains immatures, que l'Europe «avait le devoir» de mener vers un avenir meilleur. En aucun cas ils n'étaient considérés comme des égaux.

autorités militaires, là où il y a des postes français, et auprès des compagnies aériennes qui commencent à sillonner l'Afrique, quand nous le pourrons. Ailleurs… il faudra se débrouiller.

Le 15 octobre 1929, tout est prêt : moi-même, étudié, bichonné, graissé, astiqué jusqu'à mon ultime rivet, et les paperasses administratives du capitaine Goulette. Les aviateurs viennent me voir une dernière fois, dans mon hangar de Toussus-le-Noble, où sont les usines Farman, ils m'examinent sous toutes les coutures et disent :

— Bon, on décolle après-demain ?

Je sens, dans leurs voix, une certaine tension : nous sommes, eux et moi, parvenus au point de non-retour. Fini le rêve, il va falloir entrer dans la réalité…

J'ai oublié de dire que mes trois hommes sont mariés.

Il faut penser aux compagnes et aux enfants de ces pionniers, qui restaient sans nouvelles, pendant des jours, parfois des semaines, parce qu'il n'y avait pas de radio à bord des avions, parce que les informations, à terre, circulaient mal d'un télégraphe à l'autre.

Ces compagnes et ces enfants étaient un peu comme les familles de marins, sauf que les sorties en mer sont une affaire courante depuis des siècles et que l'avion n'existait, en 1929, que depuis trente ans. Sauf aussi qu'en mer, la mort arrive au lent et puissant pas de la tempête, alors qu'en avion, elle frappe à la vitesse d'une pierre qui tombe.

Oui, il faut penser aux épouses et aux enfants, ces ombres silencieuses des héros de l'air...

3. Départ

17 octobre 1929, premier jour

5 h 30, aéroport du Bourget.

Une petite foule s'agglutine autour de moi. Bourgeois, Goulette et Marchesseau sont très affairés à essayer de caser leurs bagages, leurs cartes et 30 kilos de courrier dans ma cabine devenue tellement exiguë à cause du réservoir... Près d'eux, essayant de capter un dernier regard, un dernier sourire dans cette agitation, il y a les familles, un petit groupe d'amis et quelques journalistes.

J'entends les hommes murmurer à leurs épouses :

— Nous serons vite revenus ! Dix jours pour descendre l'Afrique, dix jours pour remonter,

une dizaine encore pour les impondérables...
Nous devrions être de retour largement avant
Noël !

Les épouses font semblant de les croire, et
retiennent leurs larmes. C'est une grande
épreuve qu'être une compagne d'aventurier. Un
grand privilège aussi : ils sont tellement plus
passionnants que les autres, ces hommes qui
sortent du lot...

6 h 10.

Ultime baiser, ultime sourire, ultime pose
virile pour les photographes, dont le magné-
sium des flashs crépite. Goulette, Marchesseau
et Bourgeois montent dans l'habitacle, ver-
rouillent mes fragiles portes de bois, font glisser les verrières. Leurs mains tremblent un
peu, pas de peur mais d'excitation.

Les mécaniciens de Salmson se reculent,
après un dernier regard à mon moteur.

— Contact ?

— Contact !

Marchesseau tire le bouton du démarreur.
L'hélice a un hoquet, hésite, et soudain le tonnerre des neuf cylindres en étoile éclate libre-
ment, victorieusement, dans l'air calme du petit
matin.

Toute ma carlingue résonne, tandis que

Marchesseau pousse mon moteur à fond. C'est ce que les aviateurs appellent le «point fixe», destiné à tester la mécanique, avant le gros effort du décollage. Ils se disent que si quelque chose doit casser, cela se fera maintenant, pas tout à l'heure. Généralement, ils ont raison, mais pas toujours...

Mon Salmson subit bravement l'épreuve : 1 000 tours, 1 500 tours, 1 550 tours ! C'est largement plus qu'il n'en faudra pour enlever mes deux tonnes à la piste. Les mécaniciens, dehors, échangent des signes de tête approbateurs avec Jean-Michel Bourgeois, qui tend l'oreille, et ausculte de tous ses organes, dans la trémulation de ses membres, de ses entrailles, la santé de mon moteur. Oui, ça tourne rond !

6 h 20.

— Enlevez les cales !

Soudain libéré, je bondis en avant, tandis que mon Salmson hurle de toute sa puissance.

Je décolle en trois cents mètres, malgré ma charge. Je vous l'ai dit : je suis un très, très bon avion !

Mais ce qui m'attend est autre chose que des décollages de père de famille sur le plus beau terrain de France...

Des points gris s'éloignent vite sous moi.

Adieu Le Bourget, adieu familles, adieu techniciens qui vous êtes si bien occupés de moi.

Et à bientôt.

Peut-être…

165 kilomètres/heure, plein sud. À 11 h 15, nous atterrissons à Perpignan : belle performance !

— Ce soir, nous dormirons en Afrique du Nord ! s'enthousiasme Marchesseau.

— En principe oui, reconnaît Goulette.

Il a prévu de nous faire longer la côte Est de l'Espagne jusqu'à Carthagène, d'où nous traverserons la Méditerranée vers Oran, en Algérie ; c'est une solution de sécurité, qui nous évite de survoler la mer trop longtemps.

Nous décollons de Perpignan à 12 h 10. Dix minutes après, nous passons les Pyrénées par le col du Perthus, et l'Espagne commence à dérouler ses immensités arides sous mes ailes. Il fait de plus en plus chaud à mesure que nous avançons vers le sud. Mes hommes quittent les grosses vestes de vol qu'ils avaient endossées au Bourget. Et ils ne les remettront pas de sitôt ! Ils sont tranquilles, confortablement installés. J'ai même l'impression qu'ils somnolent…

Soudain, alors que nous sommes à la verticale d'Alicante, Marchesseau s'exclame :

— L'avion ! Il penche à gauche !

Jean-Michel Bourgeois s'arrache de son siège, tapote les cadrans des jauges d'essence.

— J'ai l'impression que le réservoir de l'aile gauche ne débite plus ! En revanche, celui de l'aile droite se vide normalement. Il est presque à sec, d'où le déséquilibre... Qu'est-ce qu'on fait ?

Ils pourraient continuer, Oran n'est plus qu'à deux heures et demie de vol, et le réservoir d'appoint de la cabine suffirait à me faire voler jusque-là. Mais tout juste, sans marge de sécurité. Et si le tuyau du réservoir central se bouchait comme celui de l'aile gauche, ce serait le plongeon pour tout le monde !

— On atterrit à Carthagène, ordonne Goulette. C'est plus prudent.

Mais il y a un peu de peine dans sa voix : déjà un retard sur le programme prévu. Parviendrons-nous vraiment à relier Madagascar en dix jours ?

4. Nuits dans le désert

18 octobre 1929, deuxième jour

6 heures du matin.

Hier, Jean-Michel Bourgeois a vite résolu le problème de l'essence : un câble de commande un peu lâche, qui avait laissé un robinet se refermer. Un incident idiot, mais ce genre d'idiotie peut vous coûter la vie...

Nous décollons par un temps magnifique. Montée à 1 200 mètres puis cap au sud vers Oran, au-dessus de la « Grande Bleue ».

— Une petite pensée pour Roland Garros... suggère Goulette.

Garros a été le premier homme à traverser cette mer, de Fréjus à Bizerte, en 1913, sur une cage à poules de son époque. Un exploit formidable, qui a fait de lui un des aviateurs les plus célèbres du moment. Il est mort en héros, en 1918, juste à la fin de la guerre. Il allait avoir trente ans… Si tout va bien, nous serons dans son île natale, La Réunion, dans deux semaines.

Si tout va bien !

7 h 30.

Après une heure et demie de vol, nous reconnaissons la côte d'Afrique. Ouf, tout s'est bien passé ! Deux heures d'escale près d'Oran, en Algérie, plein des réservoirs puis décollage et cap au sud, vers le grand Sahara. Goulette entend suivre une des principales pistes qui traversent le désert, de l'Algérie au Mali : la «piste Estienne». C'est le seul choix possible : pas question de s'aventurer n'importe où au-dessus des 1 500 kilomètres de sable et de rocaille sans un fil d'Ariane, si ténu soit-il.

— Je pense qu'on pourrait mettre aisément le Niger à trois jours de Paris ! hurle Marchesseau par-dessus le bruit du moteur. Si nous n'avions pas eu ce retard de Carthagène…

Hélas, en matière de retard, ils ne sont pas au bout de leurs peines, mes hommes…

À 17 heures, en effet, le poste de Reggan, où nous devions passer la nuit, n'est toujours pas en vue.

— On ne pourra pas l'atteindre! Le vent contraire a dû nous retarder! crie Goulette, qui depuis un bon moment étudie sa carte avec attention.

Mes aviateurs ne parlent pas, ils vocifèrent : la faute au Salmson, qui produit un incroyable ronronnement. Ma cabine, en vol, est comme l'intérieur d'un tambour de 14 Juillet… les oreilles de mes hommes en sont tellement assourdies qu'ils continuent à brailler, même après l'atterrissage. Cela étonne les piétons…

Pour l'heure, donc, Goulette beugle, en désignant sur la carte un point minuscule :

— René, tu vas essayer de nous poser là!

La carte indique un terrain de secours, près d'un village. Il doit être quelque part devant, pas très loin.

— Chacun à une fenêtre! Regardez bien en bas, si vous voyez une palmeraie!

Mais ils n'aperçoivent rien, ni Marchesseau qui se démanche le cou pour guetter par-dessus le capot, ni Goulette et Bourgeois, collés à mes fenêtres tels des concierges curieuses. Pas un dattier, pas l'ombre d'une oasis sur l'infini des dunes. En revanche, des taches d'encre qui s'allongent à vue d'œil, à mesure que le soleil baisse…

— Il faut se poser maintenant ! Sinon, nous allons être surpris par la nuit !

Il y a un phénomène extrêmement dangereux, pour les aviateurs : quand on est dans le ciel, on baigne dans une plus grande lumière, et si on ne prend pas garde aux progrès du crépuscule en dessous de soi, on peut se trouver obligé d'atterrir sur un sol soudain devenu obscur. Qu'une bosse se cache dans cette pénombre, et c'est l'accident...

— Attendez, je crois que j'ai vu quelque chose ! crie Marchesseau.

Il m'incline à gauche, me faisant descendre rapidement.

— Là-bas ! La palmeraie !

Les autres hochent la tête : peut-être bien, la palmeraie...

Mais dix minutes se passent, et l'on ne voit toujours que du sable, rien que du sable : la « palmeraie » de Marchesseau n'était qu'un mirage, l'ombre portée d'une immense dune.

— Ah, zut !

Et encore, je traduis poliment le juron de mon pilote. Les aviateurs en possèdent une belle panoplie, je vous assure...

Marchesseau me bascule à droite et à gauche.

On va quand même finir par la trouver, cette fichue oasis !

· Mais le soleil a plongé derrière l'horizon, il fait presque nuit en bas, et toujours rien.

— Bon... Accrochez-vous, je me pose !

Goulette ne réplique rien : en ces circonstances, c'est le pilote qui décide...

Marchesseau pousse mon nez vers le sol, qui n'est bientôt plus qu'à quelques dizaines de mètres. D'immenses flaques de nuit défilent sous mes ailes.

— Là, crie Bourgeois, ça semble plat !

Marchesseau a vu, il m'oriente vers cette zone à peu près horizontale, entre deux longues dunes, et baisse mon régime moteur : 1 000 tours, 800, 500... Parvenu au-dessus de l'espace de sable plat, il pousse légèrement le manche. Mes roues touchent doucement le sol, roulent sans cahot : un vrai billard ! Marchesseau coupe le contact, serre doucement les freins. Je m'immobilise.

Et soudain, l'immense silence du désert nous engloutit...

D'abord, ils n'osent pas parler, mes hommes.

Ils ont subi le fracas du moteur toute la journée, ils ont à peine eu le temps de réfléchir, depuis deux jours que nous sommes partis. Puis l'énormité de l'événement les frappe soudain : hier matin, ils étaient en train d'embrasser leurs épouses au Bourget, dans la grisaille, et les voici ce soir en plein cœur du Sahara, seuls sous le ciel le plus immense du monde !

Ils n'ont même pas l'angoisse d'être perdus — les oasis doivent être à quelques minutes de vol, ce sera un jeu d'enfant de les retrouver demain. Ils n'ont pas non plus l'appréhension du décollage : leur premier geste a été de tâter le terrain sous mes roues. Il est fait de sable fin et ferme.

Ils n'ont donc qu'une chose à faire : regarder cette immensité, écouter son silence, et essayer de dormir dans cette écrasante solitude.

Ils parlent peu : les déserts forcent au mutisme. Ils n'ont même pas faim : l'émotion est trop forte. N'oublions pas qu'à quelques minutes près, nous nous écrasions…

Après s'être rapidement restaurés, ils s'allongent dans leurs couvertures, à l'abri de mes ailes, et restent longtemps sur le dos, les yeux ouverts sur le firmament, avant de s'endormir.

Ce n'est pas la grande aventure, ça ?

Ah, la belle journée !

Ils se sont levés bien avant l'aube, un peu parce qu'ils avaient froid, un peu aussi pour arpenter une nouvelle fois le terrain. Non, leurs sens ne les ont pas trompés hier soir, c'est bien ferme sous le pied...

— On se dépêche ! La journée sera longue !

Ils mangent rapidement, jettent leurs sacs de couchage dans la cabine, s'appuient sur mes ailes pour m'orienter face au plus grand espace libre.

— En voiture !

Marchesseau met le contact. Le « point fixe » fait jaillir derrière nous une longue queue de fin sable roux. Bourgeois enlève mes cales, bondit à bord, ferme la porte. Je commence à rouler... C'est reparti !

Reggan n'était effectivement qu'à quelques minutes de vol. Nous y faisons une rapide halte et tandis que Bourgeois fait le plein d'huile et d'essence, Goulette et Marchesseau discutent de Paris avec les trois seuls Européens de ce poste perdu : un radiotélégraphiste militaire, le représentant de l'Aéropostale, compagnie aérienne française, et un agent de la Transsaharienne, qui assure le transport de marchandises et passagers à travers 2 000 kilomètres de pistes ensablées. Ces trois sentinelles du désert voient passer un camion par mois, parfois deux... C'est dire si elles sont émues d'accueillir un avion !

Mais pas question de s'attarder. Bourgeois a tout juste refermé le dernier bouchon de réservoir que le chef de mission s'exclame :

— Allez, on repart ! Prochaine escale : Gao, sur le fleuve Niger !

C'était peut-être trop optimiste : un vent contraire souffle sur le Sahara et nous ralentit. En outre, la poussière rouge qu'il soulève masque fréquemment le fin tracé de la «piste Estienne» et les célèbres bidons qui la balisent tous les cinq à dix kilomètres. Difficile de distinguer, depuis le ciel, un fût d'essence rouillé au milieu d'un désert de caillasse, encore plus difficile quand un voile de sable s'interpose entre vous et le sol !

Les trois hommes écarquillent les yeux. «Tu l'as vu, le fût ?» Parfois, pour retrouver la piste, Marchesseau est obligé de voler bas, à 100, parfois à 50 mètres d'altitude. Il n'aime pas ça : c'est dangereux. La moindre faute de pilotage et boum, on embrasse le plancher ! Mais il n'y a pas d'autre solution : il faut repérer, l'un après l'autre, ces fûts qui égrènent, à travers les centaines de kilomètres de désert, une sorte de chemin du Petit Poucet.

L'un d'eux est célèbre : il a donné son nom, à 500 kilomètres au sud de Reggan, au poste de «Bidon 5», minuscule point de ravitaillement attendu par tous les aventuriers du Sahara comme une île au milieu de l'océan.

«Bidon 5» n'est qu'à mi-chemin entre Reggan et Gao, mais l'après-midi est largement entamé quand nous le survolons. Impossible d'atteindre Gao avant la nuit. Allons, il va encore falloir faire escale en plein désert...

Comme la veille, nous nous posons entre deux dunes. Goulette est un peu déçu : lui qui voulait tant atteindre le Niger en trois jours ! Mais il se console vite : une fois de plus, il va dormir au cœur du Sahara. Une expérience exceptionnelle, dont on ressort changé pour la vie. Un de ses frères d'armes saura un jour traduire en mots cette extraordinaire sensation : Antoine de Saint-Exupéry... Nuit cloutée d'étoiles, si nettes qu'on croirait les toucher, nuit glaciale dès que le sable a fini de renvoyer vers le ciel la mince pellicule de fournaise dont le soleil l'avait recouvert, nuit silencieuse et solitaire...

Pendant ce temps, à Paris, les épouses se taisent.

Elles ont pointé sur les cartes le trajet prévisible. Ce soir, pensent-elles, les hommes doivent être à Gao ! Elles n'ont pas eu de nouvelles, ni directement, ni par Farman frères. Normal : les communications sont si lentes et compliquées...

Mais les épouses ne peuvent s'empêcher de penser que leurs maris avaient à affronter ce jour le pire obstacle qui se puisse imaginer, sans vrai moyen de repérer leur route ni d'appeler au secours, avec une toute petite réserve d'eau. Seuls entre le ciel et le désert, leurs vies accrochées au bon vouloir des neuf cylindres d'un moteur Salmson...

5. Les curieux de Tillabery

20 octobre 1929, quatrième jour

Ils se lèvent en grommelant, se frappent bruyamment les flancs, sautillent sur place pour dégourdir leurs membres. Leur haleine forme une buée. Comment imaginer qu'il puisse faire aussi froid dans ce désert, qui deviendra volcan dès que le soleil aura pointé son nez ?

Allez, on se dépêche ! Il faut essayer de rattraper notre retard !

Je m'élève dans la pénombre et émerge bientôt dans les premiers rayons du jour, alors que toute la Terre est encore bleu sombre au-dessous de moi. Et soudain s'étire sous les yeux de l'équipage ébloui cette éclaboussante révélation : le soleil jaillissant d'une mer de sable roux, aux vagues infiniment nettes, qui découpent à longs traits harmonieux l'indigo du ciel.

— Rien que cela, murmure Bourgeois, et vous êtes payé de tous vos efforts...

Dans une heure, ce sera à nouveau l'enfer dans ma cabine surchauffée, mais pour l'instant, ils goûtent de tous leurs sens ce spectacle unique : un désert qui s'éveille.

Nous filons vers le Sud, à 170 kilomètres/heure. Mon moteur tourne comme une horloge, tout est parfait. Des touffes de plus en plus fréquentes de buissons jaunâtres indiquent que nous approchons de la fin, qu'ici la sécheresse n'est plus aussi impitoyable : bientôt, ce sera l'Afrique des pluies abondantes et des forêts épaisses. Un autre continent, densément peuplé, luxuriant...

Au bout de trois heures de vol sans histoire, un serpent métallique étincelle devant nous.

— Le Niger ! s'écrie Marchesseau.

Le fleuve coule encore, dans cette zone septentrionale du Mali, au milieu d'immensités semi-désertiques. Mais désormais, il n'y a plus de risque de se perdre : il suffit de suivre l'immense cours d'eau !

Un semis de cubes blancs et de huttes ocre

sur la rive, des pirogues qui rident la surface, les traces rouges des pistes de terre battue : voici Gao, enfin! Le désert est vaincu, nous avons traversé l'Afrique saharienne!

Le moteur à peine arrêté, quelques Blancs en short kaki et casque colonial, encadrés d'une cohorte de Noirs couverts de la chéchia* des tirailleurs, fendent la foule des curieux.

— Hé, vous autres! Touchez pas l'avion, hein!

Un officier s'avance, main tendue :

— Vous venez de Paris? Combien de temps?

— Trois jours et quatre heures!

Une ovation salue cette annonce : record battu!

— En plus, nous avons du courrier!

Les yeux de ces soldats et de ces civils, qui vivent à 4 000 kilomètres de la France, à plus de 1 000 kilomètres de la mer, dans une des régions les plus reculées de l'Afrique sub-saharienne, s'embuent d'émotion : pour la première fois dans l'histoire de leur poste perdu, ils reçoivent des nouvelles de leurs familles, fraîches de quatre jours! D'habitude, les lettres qui leur parviennent ont pris le train de Paris à Marseille, le bateau de Marseille à Alger, le

---

* Chapeau en forme de calotte que portent les Arabes.

camion d'Alger à Gao par Béchar et la piste Estienne, et sont vieilles d'au moins un mois, quand ce n'est pas six...

— Ah, c'est sympa d'avoir pensé à nous ! Vous mangerez bien un petit morceau ! Vous boirez bien un coup ! Pastis ?

Il n'est même pas dix heures du matin, mais le soleil bombarde déjà. Les trois aviateurs se regardent, gênés.

— C'est que nous sommes très pressés...

— On le sait ! Le cuistot va vous préparer quelque chose vite fait, pendant que nos mécaniciens s'occuperont de votre plein d'essence. D'accord ? Et en prime, une douche, ça vous dirait ?

Oh oui, surtout après deux jours de vol en pleine chaleur au-dessus du désert !

Douche éclair, repas express, pastis rapide et hop ! tout le monde à bord ! À midi dix, je suis en l'air. Prochaine escale : Niamey, à 440 kilomètres au sud sud-ouest.

Vers 14 heures, une agglomération apparaît à l'horizon. Niamey, déjà ? Il faudrait que j'aie été poussé par un fameux vent arrière !

— Je vois un terrain ! s'exclame Marchesseau. On se pose ?

— Essayons. Si ce n'est pas Niamey, nous repartirons tout de suite !

Mon Salmson s'arrête sur un dernier hoquet, au bout d'une piste en terre battue bordée d'un petit hangar. Silence. Pas âme qui vive.

— Ah ben, commence Bourgeois, on se croirait retournés dans le Sahara !

Il n'a pas fini sa phrase que, jaillis d'on ne sait où, des dizaines d'hommes, femmes, enfants en vêtements blancs, rouges, jaunes, bariolés, accourent en criant.

— Seigneur, ça recommence comme à Gao ! s'exclame Goulette.

Et ici, pas de soldat pour me préserver de la curiosité envahissante des Maliens. Déjà, ils sont à dix pas, ils tendent des mains curieuses... Mes ailes, mes pauvres ailes !

— Coin ! Coin !

Un nuage de poussière s'élève à l'autre bout du terrain. L'excitation de la foule décuple, tandis que le nuage révèle une antique Ford, moteur à fond, qui se rue vers nous en couinant furieusement de la trompe. L'engin fumant et crachant s'arrête à deux mètres de mon capot, un Blanc hilare bondit par-dessus la portière :

— Salut ! Je suis l'administrateur du cercle ! Nous n'attendions pas votre visite ! Merci pour l'honneur !

— Mais... avance Goulette, de quel cercle ?

— Du Cercle européen de Tillabéri. Pourquoi?

— Tillabéri, vous dites? Ah, désolé, nous nous sommes trompés de ville...

Le jeune Blanc affiche une mine déçue.

— Je me disais aussi... Un avion, ici, dans ce trou perdu... Mais ce n'est pas grave, j'aurai au moins eu le plaisir de vous voir! Vous cherchiez Niamey? C'est à 110 kilomètres au sud. Vous y allez tout de suite?

Goulette réfléchit. De toute façon, nous ne pourrons pas pousser plus loin que Niamey aujourd'hui : le vent ne nous aidait pas, il soufflait face à nous, au contraire, et nous a fâcheusement retardés.

— Tout bien pesé, nous avons le temps de rester un peu...

— Alors, venez visiter ma ville! Et vous autres, ne touchez pas à l'avion, hein! Sinon, vous aurez affaire à moi!

Des dizaines de têtes noires acquiescent avec discipline («Oui, patron! Bien, patron!»), de larges sourires découvrent des dents blanches, et voici mes trois hommes partis, sur la Ford pétaradante du jeune directeur du cercle, me laissant tout seul, au milieu des Africains volubiles et curieux...

Mes aviateurs reviennent au bout de deux heures, apparemment ravis de leur promenade. Mais durant ce laps de temps, mes deux douzaines de spectateurs du début sont devenus un bon millier : une foule épaisse et pépiante, qui m'observe sous toutes les coutures, et ne se fend qu'avec réticence devant le Klaxon de la Ford.

— Nom d'une pipe ! grogne Goulette. Pourvu que…

Non, capitaine, il n'est rien arrivé. Je n'ai été frôlé que par les regards : ces admirateurs si nombreux, dans leurs boubous de toutes les couleurs, malgré leur immense curiosité, se sont sagement tenus à dix mètres de moi, regardant de tous leurs yeux le grand oiseau de fer et de toile. Sûr qu'on ne doit pas en voir souvent, des avions, à Tillabéri !

— Reculez ! C'est dangereux !

Bourgeois s'énerve et grogne : il ne voudrait surtout pas qu'une main maladroite endommage ma carlingue ou une de mes ailes. Or les mains sont dangereusement proches, car la foule, qui était jusqu'alors si tranquillement assise, s'agite maintenant, enfiévrée par l'arrivée tonitruante de la Ford et des «cavaliers de l'air». Les gens des premiers rangs essaient de s'écarter, mais ceux du fond se sont levés maintenant, pour voir, et poussent, poussent...

— Il n'y a qu'une solution !

Marchesseau ouvre une porte, grimpe dans ma cabine. S'assurant que personne n'est trop près de l'hélice, il met le contact, tire le câble du démarreur...

Le fracas de mon Salmson fait brutalement refluer les premiers rangs.

L'administrateur du cercle grimpe sur le capot de la Ford, hurle des ordres. Au début, on ne l'écoute guère : c'est si intéressant, un avion... Mais petit à petit, lentement, avec une sorte de réticence, la masse humaine se fend un peu devant mon capot. Une brèche étroite, vingt mètres de largeur au plus, mais cela devrait suffire...

— Adieu, l'ami !

Bourgeois et Goulette bondissent à bord, Marchesseau augmente l'admission des gaz, je commence à rouler... et voici que la foule se met à courir derrière moi et sur les côtés, en poussant des cris d'excitation ! Heureusement, mon Salmson est puissant, il m'arrache peu à peu à la masse de mes admirateurs. Ils galopent en riant, puis je les distance, et soudain, ils ne sont plus qu'un semis de boubous multicolores tout en bas, à l'extrémité de cette bande de terre ocre. Mille nez en l'air, mille paires d'yeux écarquillés, qui me regardent mouliner le ciel dans un tonnerre triomphant. Ils vont avoir de quoi alimenter des soirs et des soirs de palabres, devant leurs cases au bord du fleuve !

6. Hoquets au-dessus
de la grande forêt

21 et 22 octobre ; cinquième et sixième jour

L'Afrique aride est bien oubliée : même si notre route au sud-est nous fait contourner les régions les plus humides, le paysage qui se déroule sous mes ailes est de plus en plus luxuriant, les pistes de fortune sont souvent détrempées, leur terre grasse adhère à mes roues. Comme si les obstacles naturels ne suffisaient pas, mes hommes se heurtent à des tracasseries : même au cœur de l'Afrique, la sacro-sainte administration française a besoin de ses paperasses ! Mes aviateurs s'énervent, mais jurons et supplications glissent sur le cuir des adjudants pointilleux. Il manque toujours un tampon et l'essence ne coule pas assez vite vers les réservoirs. Nous perdons du temps : Madagascar ne sera pas reliée en dix jours.

L'Afrique belge réserve un folklore qui n'est pas moins redoutable, comme en témoigne l'accueil de Fort-Archambault, le 22 octobre : les militaires du coin, soucieux de bien indiquer le terrain au milieu de la végétation, ont fait allumer des feux énormes, sur lesquels les indigènes ont jeté du bois vert. Pour voir le terrain, on le voit, à des kilomètres, il est plus enfumé qu'un volcan ! Mais quand nous approchons, Marchesseau pousse un juron :

— Sacré nom d'une pipe, où est le sol ?

Les feux sont tellement efficaces qu'une nappe noire et huileuse masque totalement la surface de la piste. Sommes-nous à dix, à trente mètres d'altitude ? Y a-t-il des obstacles en bas ? Impossible de le deviner.

— Je descends ! Accrochez-vous !

Le pilote nous fait passer au ras des brasiers, basculant d'une aile sur l'autre, se dévissant la tête pour essayer de repérer la termitière traîtresse, le buisson sournois. Mais on n'y voit rien de rien… Nous tournons un moment au-dessus de cette espèce d'incendie, qui ne semble pas devoir diminuer. Personne en bas ne comprend notre problème. Au contraire, nous avons l'impression que les pourvoyeurs de bois rechargent allègrement leurs foyers, dans la joie de nous voir arriver !

— Bon, tant pis ! J'essaie de me poser !

Marchesseau négocie une approche au ras des arbres, droit vers la fumée. Quand nous sommes au milieu de cette masse sombre et odoriférante, il baisse les gaz, pousse prudemment le manche. Mes roues descendent, descendent, descendent, puis touchent le sol. Instantanément, Marchesseau coupe le contact et pèse à fond sur les freins, en priant pour qu'il n'y ait rien devant...

Il n'y avait rien, le terrain est parfaitement dégagé, mais on n'y voit pas à trois mètres. Et de cette nuée émerge soudain, telle une armée de fantômes souriants, l'éternelle foule africaine...

Parfois, mes hommes sont choyés par une communauté européenne un peu plus fournie qu'ailleurs. Il arrive même qu'il y ait des dames, pas encore trop usées par le rude climat, et si heureuses de voir passer des Parisiens. Ces jours-là, Bourgeois se presse un peu plus que d'habitude pour nettoyer mes tubulures...

Mais à Fort-Archambault, pas de chance ! Les

fûts d'essence qu'on lui propose sont en bien triste état : rouillés, bosselés, ils semblent dormir au bord de la piste depuis la nuit des temps.

— Oh, là, là ! Il y a sûrement des tas de saletés là-dedans ! Il faudra filtrer !

Et, tandis que ses compagnons glissent vers le mess des officiers en compagnie de jeunes femmes parfumées et rieuses, mon mécanicien se penche en soupirant vers le premier fût...

Il y a, dans l'essence, des débris de tôle oxydée, de l'eau également, qui s'est insinuée par les trous des bidons, lors des grosses pluies équatoriales. Le carburant pollué traverse lentement, trop lentement la peau de chamois qui sert de filtre improvisé, et qu'il faut tordre et essorer toutes les cinq minutes, tant elle se salit vite. La nuit est tombée depuis longtemps quand Bourgeois s'estime enfin satisfait.

— Bon, je vais pouvoir filer à la douche ! Pas trop tôt !

— Vous demande pardon, mais faut amarrer l'avion ! intervient un caporal de tirailleurs.

Bourgeois lève une tête inquiète.

— Pourquoi ?

— Les tornades ! sourit le caporal. Elles vous tombent dessus sans crier gare. Un moment, il fait beau, l'heure d'après, c'est la tempête ! Si vous ne voulez pas que votre avion s'envole sans vous...

Soit, qu'on m'amarre! Les tirailleurs, qui semblent avoir une longue habitude de ce genre de chose, plantent prestement des piquets, lancent des cordages qui ceinturent mon train d'atterrissage. Précaution ultime, une housse est ficelée sur mon capot : le Salmson dormira lui aussi à l'abri.

Et Jean-Michel peut enfin s'éloigner vers le camp, appelé par la fête des colons et, je le devine à la rapidité de ses pas, par la bonne douche tellement attendue...

23 octobre 1929, septième jour

Notre objectif est de suivre le fleuve Chari puis son affluent l'Oubangui, vers les villes de Bangui puis Coquilhatville (actuelle Mbandaka) au Congo belge. Au total, un peu plus de 1 000 kilomètres au-dessus d'une brousse de plus en plus épaisse, agrémentée de forêts-galeries le long des fleuves. Impossible de se perdre sur cet itinéraire : les cours d'eau sont de superbes voies naturelles, parfaitement visibles du ciel. Mais impossible de se poser aussi, en cas d'incident : le paysage est de plus en plus envahi par les arbres, et après Bangui, nous allons entrer dans l'immense forêt équatoriale.

Nous décollons à l'aube sans problème. Mais après quelques minutes, les sourires des aviateurs se figent : mon Salmson a eu un raté !

L'hélice repart, mais le moteur hoquette à nouveau, ralentit, tousse…

— Saleté ! s'écrie Bourgeois. C'est cette fichue essence d'hier !

Malgré toutes ses précautions, des impuretés sont passées, elles bloquent les tubulures d'admission, et maintenant nous sommes au-dessus d'une savane piquetée d'arbres énormes, tous dépendants des caprices de mon hélice !

Aucune chance de pouvoir atterrir sans casse : le sol est trop irrégulier et la végétation trop dense. Il n'y a donc qu'à prendre notre mal en patience et prier, tandis que le Salmson tourne par à-coups et maintient difficilement notre altitude.

Une heure, une heure et demie à ce rythme cahotant, tous les cœurs suspendus aux spasmes de mes cylindres…

Et voici qu'enfin Marchesseau s'écrie :

— Bangui !

Encore un quart d'heure, une demi-heure au rythme syncopé de mon Salmson, et nous atterrissons aux accents de *La Marseillaise*, jouée avec entrain et quelque peu de fantaisie par une fanfare belge entièrement composée d'Africains ! Ouf, mon ventre fragile de contreplaqué et de toile n'aura pas connu les affres d'un atterrissage forcé en brousse !

Immédiatement, mon Jean-Michel se penche en grommelant sur les réservoirs. Il va devoir se livrer à une opération pénible mais vitale : vidanger toute l'essence, filtrer les impuretés, vérifier chaque tuyau, chaque robinet, souffler dans des tubes qui sentent le carburant, en craignant à chaque seconde l'étincelle qui nous transformerait, lui et moi, en feu de joie... Trois heures et demie de travail harassant, méticuleux, dans une chaleur d'étuve, puis juste le temps pour Bourgeois de se laver les mains, et nous repartons : nous sommes trop en retard, il n'y a pas une minute à perdre !

Sous mes ailes, la savane de plus en plus dense fait place à l'immense forêt équatoriale : un moutonnement vert que ne crève aucune clairière, aussi infini que le Sahara mais beaucoup plus dangereux, car tomber en panne au-dessus de la grande forêt, c'est la mort garantie...

7. La tornade

24 octobre 1929, huitième jour

Nous sommes arrivés hier sans nouvel incident à Coquilhatville, malgré quelques orages effrayants, qu'il a fallu prudemment contourner. Marcel Goulette aurait aimé décoller à l'aube, car nous avons une longue route devant nous, mais un brouillard épais couvre la forêt, et nous ne pouvons partir qu'à 8 heures.

Au bout de quelques minutes de vol, petite fête à bord : nous venons de franchir l'équateur ! Mes hommes ne s'attardent guère en réjouissances, et se contentent d'échanger de fermes poignées de main : le spectacle de la forêt en dessous de nous n'est pas vraiment des plus rassurants…

Mon moteur est vaillant, et n'a plus de raté, mais nous n'allons pas assez vite : tout juste 150 kilomètres/heure. Il faut se poser à Luebo, un petit terrain de secours en pleine forêt. Et au décollage, problème! La piste est de sable mou et mes roues s'y enlisent jusqu'aux moyeux! Il faut dire que la Sabena, la compagnie belge qui gère ce terrain, utilise surtout de puissants trimoteurs et qu'elle les charge à moitié de leur capacité : leur surcroît de puissance leur permet de s'arracher sans problème à ces sols instables. Pour que je puisse finalement décoller, il faut faire appel à une escouade de Noirs, qui poussent sur mes ailes tandis que Marchesseau fait hurler mon moteur…

Et au soir, quand nous arrivons enfin en vue d'un autre minuscule terrain, du nom de Kanda-Kanda, autre surprise :

— Vous avez vu? Il y a des bœufs sur la piste!

Marchesseau fait un passage à basse altitude, pour disperser les bêtes, et s'écrie soudain :

— En plus, il y a des termitières!

Les termitières, ici, sont des bosses énormes en terre battue de plus d'un mètre de haut. Inutile de dire ce qui se passera si nous en heurtons une. Il faut tout de même se poser, impossible d'aller ailleurs! Mon pilote arrondit doucement ma descente, vise un espace libre entre les plus grosses termitières... Atterrissage parfait. Mais il n'y a pas de hangar ici. Pas de comité d'accueil non plus ?

Mais si : brusquement, la foule habituelle, la foule immense, rieuse et touche-à-tout, se rue vers nous. Cette fois, elle est encore plus indisciplinée qu'aux escales précédentes : les mains s'approchent, tripotent mes ailes, commencent à les secouer.

— Vite !

Marchesseau connaît bien la manœuvre désormais : il bondit à bord, actionne le démarreur. Le Salmson se met à pétarader et les curieux reculent... un peu.

— Ah, les abrutis ! Ils vous ont rien cassé, au moins ?

À l'accent du Blanc qui arrive au pas de course, on reconnaît un Parisien, un vrai «titi» gouailleur et hilare, qui explique longuement aux chefs noirs, dans un mélange de français et de dialecte local, tout ce que Marchesseau avait fait comprendre en deux tours d'hélice.

— Dites donc, on n'a quasiment jamais d'avion ici ! Vous avez dû vous gourer de terrain !

— Ah bon ? Mais la carte dit que...

— Ah, la carte ! Vous croyez encore aux cartes,

vous ? Ici, c'est une piste de secours. Le vrai terrain est à quinze kilomètres. Mais à votre place, je ne prendrais pas la peine d'y aller : c'est pas mieux…

Mes hommes haussent les épaules. Ils y sont, ils y restent !

— Bon, faut amarrer votre engin ! Parce qu'une tornade, ici, c'est vite arrivé !

C'est vrai. Ils allaient oublier… Mes roues et les mâts de mes ailes sont solidement haubanés à de grands piquets de bois. Avant de s'éloigner, le Parisien se tourne vers les curieux, toujours aussi nombreux autour de moi.

— Et si vous savez pas quoi faire, vous autres, rasez donc les termitières ! Et coupez les buissons, pour que nos amis puissent décoller correctement demain !

C'est ainsi que cela marche, dans les colonies…

Il fait nuit. La forêt résonne de cris mystérieux. Il y a longtemps que les lampes à acétylène se sont éteintes, dans les bungalows des Blancs. Mais soudain, un chuintement fait frémir la cime des arbres, se transforme en grésillement puis en grondement : la tornade !

Des gouttes de pluie énormes heurtent mes ailes, aussi violentes que des grêlons, tandis que des rafales de vent me secouent, déchaussant peu à peu les piquets qui me retiennent. Je bouge déjà, je sens le moment où une bourrasque plus forte que les autres va m'envoyer valdinguer contre les grands arbres, tel un papillon mort…

Mais les voilà, ils arrivent, mes hommes, accompagnés d'une cohorte de Noirs. Et ils font la seule chose possible pour m'empêcher de basculer : ils se suspendent à moi !

— Les mains à plat sur les ailes, s'égosillent les aviateurs. À plat !

Et la foule les comprend. Les touche-à-tout d'hier, les obtus d'hier se rendent compte que s'ils s'agrippent à la toile, ils risquent de la crever, alors ils s'appuient sur moi à pleins bras : ils m'embrassent…

Ils tiennent comme ça une, deux heures, s'encouragent de grands rires, malgré la pluie qui les cingle. Puis la tornade s'en va, aussi brutalement qu'elle était arrivée. Les hommes sont épuisés et gelés, le terrain est devenu un marécage, mais je suis intact. Merci, les Africains !

25 octobre 1929, neuvième jour

Nous sommes en bien triste état, mes hommes, le terrain et moi. Les gars ont à peine dormi, leurs visages sont livides et bouffis de fatigue et de pluie, leurs vêtements sont à tordre. Le terrain est une grande flaque d'eau. Et la toile de mes ailes, trempée et alourdie, pend lamentablement.

— Tu penses que tu pourras décoller ? demande Goulette. Si c'est nécessaire, on attendra cet après-midi.

On sent que cela lui ferait de la peine de perdre encore du temps, de dépasser encore plus le calendrier qu'il s'était fixé, mais si la sécurité est à ce prix…

Marchesseau estime la longueur de la pauvre piste, qui s'interrompt brutalement sur le mur vert des arbres, et sourit brièvement.

— Bah, il suffit d'essayer !

Avec l'aide des Africains, on me recule le plus loin possible. Marchesseau lance mon moteur, Goulette et Bourgeois le rejoignent à bord. Sur le bas-côté, le titi parisien ne rigole plus : il sait que la mort attend peut-être au bout de ces 300 mètres de sable gorgé d'eau.

Freins bloqués, moteur à fond… Une traînée d'embruns fouette derrière ma queue les premiers arbustes de la forêt. Puis Marchesseau lâche les freins, et je commence à rouler, lourdement, comme un canard malade.

100 mètres. Je commence à prendre de la vitesse, mes roues s'enfoncent moins dans le sable mouillé. 150 mètres. Je glisse, ma queue commence à se soulever. Mais c'est comme décoller d'une patinoire : le moindre coup de palonnier* à droite ou à gauche, et bonjour les arbres ! 200 mètres. Mon moteur hurle de toute sa puissance, mes roues effleurent la surface. Que je suis lourd ! 250 mètres. Marchesseau m'arrache doucement au sol. Il ne faut pas risquer de se trouver en perte de vitesse et «décrocher» : ce serait la catastrophe. Je monte mètre par mètre. Mais les arbres approchent, et ils sont diablement hauts ! Nous allons toucher ! Non, nous passons, mes roues à quelques dizaines de centimètres des plus hautes ramures. C'était juste, très juste !

Malgré ce décollage héroïque, mes hommes n'osent pas crier victoire : rien n'est gagné car je reste extrêmement lourd et peu manœuvrable, et la forêt s'étend sous nous à l'infini…

Et voici que d'un coup, un brouillard nous la masque, la forêt ! Toute l'humidité due à la tor-

---

* Barre de commande du gouvernail d'un avion, se manœuvrant au pied.

nade remonte sous la chaleur du matin et engendre une brume épaisse.

— Bon Dieu, je ne vois plus rien ! s'écrie Marchesseau.

Les deux autres, derrière, écarquillent les yeux à mes fenêtres latérales, mais ne distinguent rien non plus : nous sommes dans un coton épais, translucide, qui s'effiloche et tourbillonne au bout de mes ailes. Si au moins nous pouvions grimper un peu plus vite !

— Le compas !

Le compas Vion, un instrument fiable, qui a toujours fidèlement donné le cap, s'affole, son aiguille tourne dans tous les sens. Une anomalie magnétique, sans doute, mais nous n'avions pas besoin de cela en ce moment...

L'inquiétude monte vite dans la cabine. Je ne suis en effet équipé d'aucun instrument pour le pilotage sans visibilité, et les forces centrifuges qui s'exercent dans un avion font que le pilote, s'il ne voit rien ou s'il ne dispose pas de l'instrument adéquat, ne sait pas si son appareil est horizontal. On peut très bien voler sur le côté, et parfois sur le dos, dans de fortes perturbations, sans s'en apercevoir. À 100 mètres au-dessus d'une forêt équatoriale, ce n'est pas vraiment le genre d'exercice conseillé...

— On va se casser la figure !

Mais après avoir dit ça, Marchesseau pousse encore un peu le moteur, espérant qu'il nous tire bien vers le haut, pas vers le bas…

Et brutalement, le coton se déchire, le compas retrouve le nord et nous émergeons à peu près droits, dans un ciel parfaitement pur. Une fois de plus, mon pilote a eu du flair !

À midi, atterrissage à Elisabethville (actuelle Kisangani), capitale du Katanga. Il était temps : Goulette, qui a été trempé et épuisé par la tornade de la nuit dernière, souffre d'une forte fièvre et claque des dents. Un médecin de la Sabena lui administre quelques cachets, tandis qu'on me soigne, moi, à coups de burettes d'huile et de chiffon gras, et nous repartons bientôt. Nous arrivons à la nuit à Broken Hill (Kawbe), à 120 kilomètres au nord de Lusaka, en Zambie britannique. Ce soir, Goulette ira se coucher avant les autres, farci de médicaments. Dommage pour lui : ses deux compagnons sont reçus comme des rois dans le seul hôtel local. Repas gastronomique, gibiers du pays, grands vins de France, colons bavards et souriants : il y a tout de même du bon à être un aventurier célèbre !

8. À cause d'un lion

26 octobre 1929, dixième jour

Enfin, mes ailes sont sèches, et l'air est plus vif. Nous filons sans problème vers l'ouest-sud-ouest, en direction de la côte africaine. Objectif : Quelimane, un port du Mozambique, dans l'Afrique-Orientale portugaise.

Vers 10 heures, nous arrivons au fleuve Zambèze. Des crocodiles s'y ébattent. Malgré sa fatigue et la fièvre qui le mine lui aussi, Marchesseau descend un peu pour les voir de plus près. L'ambiance est détendue : nous arrivons à la fin du voyage, le retard pris n'aura pas été si dramatique, et on nous attend à Quelimane, qui a été averti, comme tous les terrains où nous devons atterrir, par un message radio en morse...

Mais quand nous parvenons à Quelimane, pas l'ombre d'un hangar, d'une manche à air, ni même un espace dégagé. Rien.

— Où est donc ce fichu aérodrome?

Quelimane est une vaste agglomération de maisons modestes et de paillotes, avec quelques bâtiments en dur au centre, dont une grande église de style colonial portugais, avec son fronton à volutes au badigeon noirci par l'humidité. Nous la survolons à plusieurs reprises, dans l'espoir d'attirer l'attention. Mais, si les gens se dévissent le cou pour nous regarder, le terrain d'aviation est toujours invisible...

— Je vais tourner, on finira bien par le trouver! suggère Marchesseau.

Et il me fait accomplir de grandes spirales, s'éloignant de plus en plus de la ville, dans l'espoir de découvrir enfin une piste. Peine perdue. Il faut bien se poser pourtant, on ne peut pas tourner comme ça jusqu'à la fin de l'essence!

— Bon, on va faire comme dans le Sahara!

Le Zambèze, qui se jette à la mer 100 kilomètres au sud, forme dans toute cette région un gigantesque delta marécageux, dont de grandes portions sont heureusement à sec en cette saison. Ce n'est pas le terrain plat qui manque. En revanche, ces espaces sont couverts de hautes herbes rousses, qui masquent les irrégularités du sol... Quels pièges cachent-elles?

— Accrochez-vous!

Goulette et Bourgeois se retiennent comme ils peuvent à mes longerons. Ils n'ont pas de ceinture de sécurité et les sièges ne sont pas fixés très solidement à mon plancher. La meilleure chose à faire, en cas d'atterrissage risqué, est de se tenir en ressort sur ses jambes à demi fléchies et d'ancrer solidement ses mains à une poutre, en dardant ses yeux par-dessus l'épaule du pilote, pour anticiper les chocs...

Mais ce n'était pas la peine d'avoir peur, cette fois : une terre ferme et horizontale, légèrement fissurée par la sécheresse, accueille mes roues. J'y cahote sur une centaine de mètres, fendant de hautes herbes, je m'arrête sans accident...

Dans le silence du moteur éteint, mes trois hommes se regardent – vu d'ici, l'endroit a encore l'air plus perdu que d'en haut.

— Eh bien, soupire Goulette, il n'y a plus qu'à attendre!

À son ton, on sent bien qu'il préférerait un bon lit...

Soudain, trois têtes émergent des herbes : trois Noirs intrigués, qui approchent timidement.

— Quelimane! articule Goulette.

Ils ont l'air de comprendre, font signe à mes hommes de les suivre. Bourgeois reste, les deux autres s'en vont. Ce n'est pas la première fois que mon cher mécanicien reste de garde près de moi, pas la dernière non plus...

Les Africains ont une pirogue et emmènent Goulette et Marchesseau vers la ville. En route, ils croisent un canot automobile qui remonte le bras de fleuve. Tout de même, on nous avait vus !

— Vous n'avez pas de mal ? crie quelqu'un. Nous vous pensions perdus !

— Nous le sommes ! grommelle Goulette.

— Pourtant, s'excuse le Blanc, nous avions mis un gardien sur le terrain, chargé d'allumer un feu de signalisation. Bizarre qu'il ne l'ait pas fait... Vous voulez voir la piste ?

Elle n'est pas très loin, mais les herbes uniformes l'avaient cachée à Marchesseau. Il y a un gros tas de bois sec prêt à flamber, c'est vrai, et la case du gardien. Mais cette case est vide. Pas de gardien à l'horizon.

— Je ne comprends pas où il est passé...

Dans la soirée, mes hommes auront l'explication de la fuite du gardien : hier soir, un gros lion est venu et a dévoré le bœuf du gardien, alors il a eu peur et s'est sauvé! Dire que nous avons failli nous écraser à cause d'un lion!

Pour se faire pardonner, le gouverneur portugais de Quelimane et toute la colonie européenne de l'endroit, parfois métissée d'Africains et d'Indiens, offre un dîner de gala à Goulette et Marchesseau, tandis que Bourgeois se laisse inviter par le consul de France. Moi, je me repose tranquillement sur mon terrain, gardé par des sentinelles qui n'ont pas peur des lions...

Seulement dix jours que nous sommes partis? J'ai l'impression que ça fait un mois, tant nous avons vécu d'aventures!

Ces dix jours, pour les femmes, ont été une grisaille uniforme. Elles ont eu des nouvelles occasionnelles, par Farman. La Sabena a même transmis un message: oui, la dernière fois qu'ils sont passés sur un de nos terrains, ils étaient en bonne santé!

Ces informations télégraphiques ne peuvent évidemment pas détailler les tornades, la forêt impénétrable et les effets pervers des lions sur les gardiens d'aérodrome. Heureusement: les femmes ont suffisamment peur comme cela...

9. Enfin, Madagascar !

24 octobre 1929, onzième jour

C'est pour aujourd'hui : la dernière étape, le triomphe ! Si évidemment aucune tempête, aucun accident, aucun lion ne viennent se mettre de la partie...

Le vol sera interminable et dangereux : il va falloir traverser le canal de Mozambique, qui sépare l'Afrique de Madagascar. Une longue étape : il y a plus de 1 000 kilomètres en ligne droite de Quelimane à Majunga (Mahajanga), la ville malgache la plus proche, mais la route que nous suivrons totalisera plus de 1 200 kilomètres. En effet, pour écourter au maximum la dangereuse traversée de la mer (850 kilomètres si nous piquions tout droit), Goulette a décidé de nous faire suivre la côte vers le nord, jusqu'aux îles Angoche. C'est là que le canal est le plus étroit. Mais après, il y aura tout de même 500 kilomètres au-dessus de la mer, sans une île, sans une escale possible !

Je décolle à 5 heures, chargé à bloc, sous les saluts de tous les amis portugais et africains de Quelimane. Ah, ces départs du petit matin, où l'on s'arrache d'un coup à l'affection des familles de rencontre, pour se retrouver seul en plein ciel...

Nous grimpons vite. La foule, en bas, se disperse déjà pour retourner à ses occupations — chacun retrouve sa vie. Ils rentrent tranquillement chez eux ou vont à leur travail. Et nous, ce soir, nous serons loin ou nous serons morts : les sédentaires et les nomades...

À 8 h, les îles Angoche sont sous mes ailes, comme prévu. Cap à l'est-sud-est ! Nous voici partis pour quatre heures de vol au-dessus d'une mer vide. Marchesseau me fait grimper jusqu'à 2 500 mètres d'altitude mais c'est une bien maigre précaution : si mon moteur s'arrête, nous boirons la tasse, même si je suis bon planeur. Simplement, nous aurons un peu plus de temps avant le plongeon...

Mais mon Salmson est vaillant : à 12 h 30,

nous sommes à la verticale de Majunga. Traversée réussie ! Ils crient et bondissent d'excitation dans la cabine. Ah, ce n'était pas facile, mais nous voici arrivés !

Plein à Majunga puis décollage à 13 h 45, à l'assaut des hautes terres vers Tananarive (Antananarivo), qui se trouve au centre de la Grande Île, à 1 300 mètres d'altitude. Notre fil d'Ariane est la majestueuse Betsiboka, une large rivière qui descend des hautes terres. La brousse est déchirée par de grands brûlis, qui ont dénudé des pentes de latérite écarlate, rongées par l'érosion : voilà pourquoi Madagascar s'appelle aussi l'île Rouge...

Nous arrivons en vue de Tananarive à l'approche de la nuit et nous posons facilement sur le terrain militaire d'Ivato, à 14 kilomètres de la capitale. Goulette brandit son calepin couvert de chiffres :

— Record battu ! Nous avons relié Paris à Tananarive en 10 jours, 8 heures et 40 minutes ! Ce qui fait au total 76 heures et 290 minutes de vol, pour 11 900 kilomètres parcourus. Moyenne : 156 kilomètres/heure. Notre consommation d'essence a été raisonnable : 33 litres au cent kilomètres. Nous avons, messieurs, créé le premier «express postal» entre la France et Madagascar!

Il a le temps, Goulette, de débiter tout ce discours, car il n'y a personne pour nous accueillir. On devait nous attendre demain, ou dans la nuit, je ne sais pas...

Mais que se passe-t-il? Une émeute? L'orage?

C'est une foule, une foule immense qui arrive en courant, même les Européens! Des voitures essaient en cornant de se frayer un passage parmi cette cohue, on se précipite vers moi, on m'approche, on me cerne!

Tous ces gens étaient à quelques kilomètres, sur le champ de courses, en train d'assister à une réunion hippique. En entendant notre moteur, ils ont galopé ici, ou foncé comme ils pouvaient, à pied, à cheval ou en voiture. Une ovation formidable salue mes hommes : ils représentent la troisième équipe qui relie Madagascar à la France, et de loin la plus rapide...

Le soir et toute la journée du lendemain sont consacrés aux festivités, à l'accueil des notables et au repos. Mais Marcel Goulette n'est pas du genre à flemmarder longtemps : dès l'après-midi du lundi 25 octobre, il se rend au service météorologique, afin d'étudier les cartes du temps. Il veut préparer tout de suite l'ultime étape : notre vol vers La Réunion et, peut-être, l'île Maurice !

Hélas, il fait frais, à Tananarive, bien que nous soyons au début de l'été austral, les pluies tropicales sont brutales, et Goulette ne s'est pas bien remis de ses fièvres africaines. Une ondée le surprend sur le chemin de l'observatoire, il prend froid... La promenade s'achève à l'hôpital, où mon commandant de bord restera dix jours, fiévreux et délirant, entre la vie et la mort. Quelle malice du destin, n'est-ce pas ? Il a résisté à toutes les épreuves de notre longue odyssée et voici qu'une banale pluie l'abat net !

Marchesseau doit également s'aliter. La fatigue sans doute, le climat difficile de Tananarive et aussi l'espèce de décompression qui survient automatiquement après tant d'aventures : ils sont arrivés, ils se relâchent, ils s'écroulent...

Seul Bourgeois est resté vaillant. Les premiers jours, il me bichonne, vérifie toutes mes pièces. Puis, ayant fait tout ce qui était possible, il se promène, joue les touristes, et répond aux invitations pressantes des colons français. Pour une fois, c'est mon mécanicien qui est à la fête !

10. Le « cheval de bois »

Au bout de dix jours, Goulette encore faible bondit de son lit.

— On va se remettre en forme en survolant l'île !

Ces démonstrations serviront d'entraînement à mes hommes. Elles permettront aussi de prouver l'utilité de l'avion dans un pays aussi immense que Madagascar, qui mesure plus de 1 500 kilomètres du nord au sud, et où le réseau routier est encore embryonnaire, et très difficile à entretenir.

Le 16 novembre, nous allons porter du courrier à Majunga. Deux heures de vol, là où des camions auraient pris trois jours ! Le 18, nous allons à Antsirabe, charmante ville thermale à

150 kilomètres au sud de Tananarive. Et le 19 novembre, nous volons en une heure et demie jusqu'à Tamatave (Taomasina), qui est le grand port de la côte est, d'où nous décollerons pour La Réunion.

À Tamatave, on a signalé à mes hommes une bande de sable parallèle à la côte, de 350 mètres de long, où Marchesseau me pose comme une fleur, par vent nul. Il examine le terrain, fait planter quelques balises qui lui permettront de mieux se repérer, et nous repartons : dans quelques jours, nous reviendrons ici, pour la grande traversée...

Car La Réunion s'impatiente. La petite colonie, qui pensait que l'« avion de France » allait franchir la mer jusqu'à elle dans l'élan de sa grande traversée africaine, trépigne depuis deux semaines et multiplie les télégrammes. Certains sont suppliants, d'autres grognent et tonnent. Tout le monde s'y met, des hommes politiques aux associations sportives. Il faut y aller, et vite !

Mes hommes ne rechignent pas à ce dernier saut, au contraire : il sera le couronnement de notre aventure, et me permettra de poser mes roues là où aucun avion ne l'a jamais fait. Personne ne résiste à ce genre de tentation.

Mais il faudra traverser 800 kilomètres de mer totalement vide et dénicher, tout au bout, une île de 60 kilomètres de diamètre. Pas facile, d'autant que je ne suis toujours équipé que de mes deux compas, que la déviation magnétique est très forte dans ces régions, et qu'il sera absolument impossible d'estimer la dérive due au vent au-dessus de la mer, puisqu'il n'y aura aucun point de repère.

— Il faut ajouter encore un réservoir! décrète Goulette. Avec 200 litres d'essence en plus, nous aurons à peu près 2 000 kilomètres d'autonomie : de quoi aller jusqu'à la hauteur de l'île et revenir à Madagascar si nous ne la trouvions pas...

Sitôt dit, sitôt fait, dès notre retour à Tananarive : en deux jours, les ouvriers des Travaux publics confectionnent une cuve en fer, qui est fixée au milieu de ma cabine. Décidément, il y a de plus en plus d'essence et de moins en moins de place pour les gens, à mon bord, et me voici transformé en réservoir à hélice, avec 900 litres de carburant à bord... Pourvu qu'il n'y ait pas de fuite !

24 novembre 1929, trente-huitième jour

Nous décollons en milieu de journée, pour un

bref vol vers Tamatave, d'où nous devons partir demain pour la grande traversée.

En arrivant au-dessus du port, Marchesseau repère sans problème la petite bande sableuse de l'autre jour. Les autorités locales l'ont correctement balisée et ont tendu des barrières de chaque côté pour contenir la foule, qui est très dense : cette fois, on nous attend...

Mon pilote arrondit ma course vers le bas, commence à diminuer les gaz... Mais son front se plisse.

— Un problème ? s'inquiète Bourgeois.

— Oui, la brise ! Elle souffle de la mer, aujourd'hui. Je vais devoir atterrir par vent de travers et je n'aime pas ça !

Aucun pilote n'aime ça : un vent de côté a tendance à chasser l'avion hors de l'axe de la piste. Et c'est presque pire quand les roues sont posées, car alors la pression de l'air sur la dérive pousse l'appareil face au vent, tendant à le faire virer à angle droit...

L'approche de piste se déroule sans problème, mes roues touchent le sable, je ralentis... C'est alors que survient la catastrophe, en une fraction de seconde.

Une bouffée de vent plus forte que les autres me dévie brutalement, m'oriente à droite vers la foule. Je roule encore assez vite. L'hélice va hacher ces braves gens venus m'admirer !

— Bourgeois, les freins !

Ils agissent tous deux en même temps : Marchesseau coupe le contact, Bourgeois tire le frein. Mes roues se bloquent net dans le sable mou, et soudain, je sens mon empennage* se soulever, irrésistiblement…

Mon nez se penche vers le sol, tandis que dans ma carlingue, hommes et choses s'écrasent vers l'avant. Je continue sur cet élan pendant une longue seconde, tandis que mon hélice, accomplissant deux ou trois derniers tours, laboure furieusement le sable. Puis je m'arrête dans cette position humiliante, moteur au sol, empennage dressé vers le ciel. Nous avons fait ce qu'on appelle, dans les écoles de pilotage, un « cheval de bois ». C'est le genre de mésaventure qui fait beaucoup rire les moniteurs.

Mes hommes, eux, ne rient pas du tout : outre qu'ils se sont cognés à mes longerons et sont couverts de bleus, me voici hors d'état de voler.

La grande traversée va devoir encore attendre…

* Surfaces placées à l'arrière des ailes ou de la queue d'un avion, destinées à lui donner de la stabilité en profondeur et en direction.

11. Perdus en mer!

Heureusement, il y a en rade de Tamatave un atelier flottant : c'est la forge d'un paquebot mixte des Messageries maritimes. Tous les vapeurs possèdent un atelier mécanique solidement équipé, où ils entretiennent leur matériel et réparent les petites avaries. Ce providentiel bateau s'appelle L'*Explorateur Grandidier*. Amusant, non, que mes aventuriers soient sauvés par un explorateur?

— On va vous la redresser, votre hélice! assure le mécanicien du paquebot.

— Attention tout de même! avertit Jean-Michel Bourgeois : c'est un métal spécial, et le constructeur a recommandé de ne jamais essayer de le travailler à froid! Regardez, c'est imprimé sur l'hélice!

— Qu'est-ce qu'on peut faire d'autre? coupe Goulette. Attendre qu'une hélice de rechange nous arrive de France, dans un mois? Prendre encore tout ce retard? Tu n'as pas envie de faire ce saut à La Réunion et de rentrer chez toi, Jean-Michel?

— Oh que si!

— Alors essayons de réparer, nous verrons bien si ça tient!

Il n'ose pas préciser ce qui se passera si ça ne tient pas. Si l'hélice par exemple nous lâche, eux et moi, à mi-chemin des 800 kilomètres qui nous séparent de La Réunion...

Tandis que les mécaniciens jouent du marteau, Goulette monte à la passerelle, et s'entretient avec le commandant.

— Vous partez dans la soirée de dimanche?

— Oui... Vers 16 heures...

— Vous naviguez en ligne droite vers La Réunion?

— Oui.

— Alors nous décollerons lundi à l'aube. Où pensez-vous être vers huit heures du matin lundi?

— À peu près à mi-chemin...

— Parfait! Voici ce que je vous propose : nous allons essayer de vous rejoindre. Ainsi, nous pourrons corriger notre éventuelle dérive, et trouver l'île à coup sûr. Vous nous servirez en quelque sorte de balise flottante sur la route. D'accord? Il faudra que vos officiers regardent l'horizon un peu plus haut que d'habitude...

— C'est un plaisir pour moi, monsieur, de rendre service à la future concurrence!

— Oh, à voir les difficultés que nous rencontrons, elle n'est pas pour tout de suite, la concurrence!

— Elle viendra, et vite : il y a vingt ans, vous en étiez encore aux sauts de puce au milieu des champs. Maintenant, vous traversez les continents. Demain, il y aura de plus gros avions et des lignes régulières. Des «paquebots aériens»! Et mon *Explorateur* et moi serons bons pour la retraite. Mais c'est dans l'ordre des choses. Nous-mêmes, il n'y a pas cent ans, avons mis au rancart la vieille marine à voile avec nos machines à vapeur... Ainsi va le monde!

Lundi 26 novembre 1929, 5 heures du matin

Hier, l'hélice redressée a été testée au sol et en vol, sans qu'aucune vibration anormale soit ressentie. Marchesseau a arpenté la courte bande de sable de Tamatave : décoller de là à pleine charge, avec 900 litres d'essence à bord, ne sera pas simple, d'autant qu'il y a un talus en bout de piste, qui empêche tout allongement du décollage...

— Il faudra que j'arrache les roues ici, sinon on casse la machine ! a dit Marchesseau en traçant une grande ligne sur le sable avec son talon.

Il a oublié de préciser qu'avec la machine – c'est-à-dire moi – les hommes feront aussi les frais de l'accident...

Mais il est cinq heures, mon moteur ronfle, sous les yeux de quelques matinaux venus assister au départ... ou à la culbute.

Il chauffe un peu trop, mon Salmson, il consomme nettement plus d'huile qu'au début : plus de douze mille kilomètres de vol, dans le sable, la poussière, ont usé ses cylindres. Mais il tiendra encore ce coup-ci. Espérons !

6 heures.

Marchesseau fait un puissant point fixe, Bourgeois lâche les freins. Je roule, je roule... À 300 mètres pile, Marchesseau arrache mes roues au sable, juste au niveau de la ligne qu'il avait tracée hier. Et je décolle, au ras du talus, montant lourdement vers l'air libre, et la mer.

Passés, une fois de plus!

Mon pilote met le cap vers La Réunion, à 800 kilomètres à l'est-sud-est. La côte malgache s'efface peu à peu derrière nous. C'est parti...

Deux heures après le départ, mes hommes sont sur le qui-vive : il va falloir repérer un point noir suivi d'un sillage, une toute petite anomalie sur l'océan Indien, qui est à perte de vue couvert de vagues blanches. Quelle taille cela peut-il avoir, un paquebot de cent soixante mètres de long, vu depuis 1500 mètres d'altitude?

8 h 15.

— On ne devrait pas tarder à le repérer! annonce Goulette. D'après les calculs du commandant, nous devions le rattraper en deux heures et quart, deux heures et demie au maximum!

Goulette à gauche, Bourgeois à droite, Marchesseau écarquillant des yeux vers l'avant, mes trois hommes s'usent la vue à examiner la mer, où chaque vague, chaque ombre peut faire croire à un bateau...

8 h 20.
Rien.

8 h 30.

— Cela m'inquiète, dit Goulette. D'après mes calculs, nous avons parcouru entre 380 et 400 kilomètres depuis Tamatave. Soit un peu plus que le paquebot. Nous aurions dû l'apercevoir…

— Nous avons peut-être été déviés, avance Marchesseau. Le vent du nord-est était plus fort que prévu.

— Ou moins fort ? Non, tu as raison, les vagues sont bien formées, en bas il souffle un «grand frais», comme diraient les marins. Cette brise a dû nous pousser de côté, nous sommes sûrement trop au sud !

Marchesseau oriente notre route au nord-est, puis franchement au nord, et l'éprouvante observation de la mer reprend.

8 h 45.

Toujours rien.

— On se donne encore un quart d'heure, décide Goulette, et après, demi-tour vers Madagascar ! Tant pis, on recommencera une autre fois…

Il dit cela sans vraiment y croire : s'il n'est pas parvenu à trouver le chemin de La Réunion avec l'aide d'un bateau, comment espérer y aller tout seuls, d'une seule traite, demain ou après?

9 h.

La mer est toujours vide.

— Allez, cap à l'ouest! Direction Madagascar! On rentre!

Ils font grise mine tous les trois, mais il n'y a pas d'autre décision à prendre, chercher La Réunion à tâtons, sans le repère que devait donner le *Grandidier*, serait un suicide. Mais que c'est agaçant, un échec! Cependant, chacun continue à regarder en bas. Au cas où...

Et justement, la chance sourit enfin; après cinq minutes de route à l'ouest, Marchesseau croit deviner un panache sombre allongé sur les vagues.

— Vous avez vu?

Il pique sur cette ombre. Mes hommes se taisent, dans la cabine : il est bien possible que ce soit une illusion... Non, c'est la fumée épaisse d'un bateau, qui vient droit en face, son étrave fendant rudement la houle du nord-est! Est-ce vraiment le paquebot espéré?

— Oui! Ce sont eux! C'est le *Grandidier*!

Goulette reprend sa carte et son crayon, fait un rapide calcul.

— Ben mon colon... Nous étions au moins 50 kilomètres trop au sud ! Vous vous rendez compte ? 50 kilomètres de dérive sur une course de 300 kilomètres ! A ce régime, nous serions arrivés dans l'Antarctique !

Il peut plaisanter, maintenant : la tension est retombée, nous ne sommes plus perdus...

Marchesseau dépasse le *Grandidier*, où les passagers se précipitent sur le pont. Ils doivent se demander ce que nous faisons, à voler dans la mauvaise direction !

Mais mon pilote a de bonnes raisons pour se comporter ainsi : parvenu à un bon kilomètre derrière le bateau, il accomplit une large courbe et s'aligne précisément sur son sillage, tandis que Bourgeois et Goulette notent attentivement les indications des compas. Grâce au dérivomètre, qui peut enfin s'aligner sur un repère solide, ils calculent aussi la glissade latérale due au vent.

— 14 à 15 degrés ! Il va falloir corriger sérieusement le cap !

Le *Grandidier* a joué son rôle, indiquant de l'étrave la bonne direction. Merci, compagnon aquatique, j'espère que mes successeurs ne te voleront pas trop vite ton gagne-pain...

Nous remontons à 2 000 mètres d'altitude,

mon Salmson émet une musique que mes hom-mes ont tendance à trouver joyeuse, ils chan-tonnent même dans ce tintamarre – la bonne humeur est de retour !

Au bout de trois heures à ce régime, des amas des nuages se profilent à l'horizon. Le com-mandant du *Grandidier* l'a bien expliqué à Marcel Goulette avant le départ :

— La Réunion est une montagne dans la mer : à peine soixante kilomètres de diamètre, mais des sommets qui culminent à plus de 3 000 mètres. Ces hautes montagnes retiennent les nuages et tout ce qu'on voit de l'île en l'ap-prochant, c'est souvent un cumulus plus opaque que les autres...

De fait, des flaques sombres transparaissent bientôt dans le coton qui nous fait face. Ce sont les hautes pentes de l'île, qui s'éclaircissent à mesure que j'approche, et laissent distinguer de vastes forêts, des falaises formidables. Nous ne verrons pas le volcan actif, vaste bouclier aux couleurs grillées, dans le sud-est de l'île. Pas aujourd'hui : Marchesseau contourne la côte par le nord, pour arriver au plus vite sur Saint-Denis, la capitale de cette petite colonie de deux cent cinquante mille habitants, et le terrain qu'on a préparé pour nous à Sainte-Marie, tout près de là...

Le service des Travaux publics a dégagé un champ de cannes, au lieu-dit Gillot, sur un espace plat, pas très loin de la mer. Mes hommes savent aussi que tout le monde nous attend, que la petite compagnie de chemin de fer local, qui fait rouler un tortillard minuscule, a organisé des convois spéciaux – il va y avoir foule à Gillot, puisque Madagascar a confirmé notre départ à l'aube, et que le *Grandidier* a dû y aller aussi de son message !

— Voici Saint-Denis !

On en approche en longeant une falaise vertigineuse, qui tombe droit dans l'océan sur une longueur d'au moins 10 kilomètres. C'est vrai que La Réunion est d'abord une montagne dans la mer...

Les pentes s'abaissent brusquement, dégageant une plaine où s'alignent, bien au carré entre leurs rues à angle droit, des centaines de maisons blanches. Au bas de la ville, une cathédrale allonge sa nef massive, sans clocher : les cyclones, qui sévissent ici au cours de l'été austral, de décembre à avril, n'aiment pas les édifices trop élevés. Pas de port dans cette ville, dont la baie est trop peu abritée, mais des estacades* où abordent d'audacieuses chaloupes venues des bateaux en rade.

Nous dépassons Saint-Denis, reconnaissons la rivière des Pluies, qui prend sa source dans une gorge formidable, en coup de sabre... Sous nous s'étire le fil ténu de la ligne de chemin de fer, qui longe la côte.

Le terrain se trouve près de cette ligne, juste de l'autre côté de la rivière. Nous ne risquons pas la mésaventure de Quelimane : notre objectif est balisé comme pour une kermesse, avec des mâts, des banderoles, des rubans, des cocardes et un public immense !

Marchesseau fait une première approche, remontant un peu à l'intérieur des terres, pour attaquer la «piste» face au vent, qui souffle de la mer. Il me fait descendre à 100 mètres, écarquille les yeux derrière le pare-brise comme je survole le terrain, et hoche la tête.

— Je ne pourrai jamais me poser là !

— Trop court?

— Non, ils ont bien suivi nos instructions : il y a plus de 300 mètres d'espace dégagé. Mais regardez devant, ces banderoles ! Et derrière,

* Barrage fait par l'assemblage de pieux, pilotis, radeaux, chaînes.

cette haie de grands arbres … Si je veux passer largement au-dessus des banderoles, je risque de rouler jusqu'aux arbres, il faudra freiner brutalement, et vous avez vu ce que ça a donné à Tamatave! Et si j'approche trop bas et que j'accroche une guirlande, vous devinez la suite…

— Il faut leur faire comprendre! Refais un survol!

Nous virons au-dessus de la mer, revenons en rase-mottes et Marchesseau effleure les banderoles de mes roues avant de m'enlever brutalement vers le ciel.

Il ne semble pas que les gens en bas aient saisi le but de la manœuvre car une immense ovation souligne notre «acrobatie», comme on salue le torero sur l'arène après une belle esquive.

Marchesseau fait un second passage, et nous recevons une seconde bouffée de cris enthousiastes. Des gens, en bas, bondissent d'excitation, on nous applaudit, on entend même des échos d'accordéon et de trompette…

— Sacré nom d'une pipe!

C'est vraiment une situation ridicule : avoir franchi toute cette distance, avoir échappé à l'accident en mer, pour se voir empêchés d'atterrir par des calicots de kermesse!

Troisième passage. Cette fois, Marchesseau fait semblant d'atterrir, puis me relève brusquement à l'approche des guirlandes, pour bien montrer qu'elles le gênent. Pendant ce temps, Bourgeois et Goulette font de grands gestes par les fenêtres. Pourvu qu'on ne les prenne pas pour des saluts amicaux, sinon nous n'en sortirons jamais !

— Je crois qu'ils ont saisi !

En bas, des hommes courent vers les poteaux, la foule s'écarte. Une minute plus tard, le premier poteau est par terre, puis son voisin, puis un troisième…

— Parfait ! rigole Marchesseau. Suffisait de leur expliquer !

La piste est désormais bien dégagée, je m'y pose à la perfection.

Il est exactement 12 h 20, ce 26 novembre 1929.

Nous avons volé pendant 5 heures et 20 minutes depuis Tamatave.

Et l'île de La Réunion découvre le premier avion de son histoire…

12. Triomphe

L'accueil de La Réunion a été délirant.

Nous ne devions rester que quarante-huit heures, mais Goulette, malgré toute sa rigueur, n'a pas pu s'empêcher de prolonger notre escale de deux jours. Ils sont si gentils, les Réunionnais ! Et elles sont si belles et si cajoleuses, les Réunionnaises...

Même l'évêque s'est mis de la partie ! Il m'a béni, une vraie bénédiction solennelle, avec enfants de chœur et tout. En échange de quoi, Goulette a proposé un baptême à Monseigneur, un baptême de l'air, naturellement. Et il a accepté ! Mgr de Beaumont est monté dans ma cabine comme un jeune homme avec sa soutane violette, sans oublier sa croix et son goupillon et, de là-haut, à 2 000 mètres d'altitude, il a ondoyé les deux cent cinquante mille brebis de son île...

Quelques autres notabilités ont profité de ces vols brefs, qui nous ont menés tout autour de la petite colonie et même dans la région du fameux volcan, à distance prudente cependant. Non qu'il y ait à craindre quoi que ce soit d'une éventuelle éruption, mais il n'y a pas l'ombre d'un terrain plat dans cette région désolée, aux pentes grises balafrées de failles et de coulées refroidies, et il ne faudrait pas qu'une panne...

Mais le plus émouvant est la foule immense, compacte, qui m'attend à chaque atterrissage. Les gendarmes à cheval et à pied sont inutiles pour la maintenir en place : les gens ne se précipitent pas, ils approchent respectueusement de moi, certains se mettent à pleurer, d'autres tombent à genoux et égrènent un chapelet. De jeunes hommes à casque colonial, une montre en or sortant de leur gilet, essaient d'approcher un de mes trois aviateurs, pour lui poser des questions, du genre «Comment ça marche?», «À quelle vitesse ça vole?», «Combien ça coûte?», mais les gestes les plus touchants sont ceux de ces personnes simples, venues de très loin parfois, à pied, en charrette, en train –

car une gare provisoire a été établie près du «terrain d'aviation»! – avec des fleurs, un «petit souvenir» pour mes hommes, qu'ils ne pourront évidemment pas emporter, une invitation à dîner, à laquelle ils ne pourront pas répondre…

Ah, cette vénération!

J'ai même entendu un vieux domestique qui disait à son maître :

— Je remercie Dieu de m'avoir permis de vivre jusqu'à ce jour et de voir cela! Je suis heureux, maintenant, je peux mourir!

Au total, plus de cent vingt mille personnes seront venues me voir, en ces quatre jours! La moitié de la population de l'île! Jamais, peut-être, un Farman n'avait fait l'objet d'autant de visites… et de faveur!

À cette formidable ferveur, il y a une explication : La Réunion n'est pas une colonie comme les autres. Elle n'a pas été conquise à la fin du XIXe siècle comme l'Afrique-Orientale, l'Afrique-Occidentale françaises ou l'Indochine, elle est possession française depuis Louis XIII. Ses habitants sont tous venus d'ailleurs, car l'île, contrairement aux Antilles, était déserte au moment de sa découverte : colons de France, pirates de tous les pays d'Europe, épouses, serviteurs et esclaves de Madagascar et d'Afrique orientale, esclaves puis travailleurs libres d'Inde, immigrants volontaires du nord de l'Inde et de Chine, se sont fondus en une population arc-en-ciel, dont un des dénominateurs communs est le lien avec la France. Une preuve de cet attachement viscéral à une «mère patrie» que pratiquement aucun Réunionnais n'a jamais vue en cette année 1929 (et qui ne se soucie guère d'eux) a été le formidable engagement dans la Grande Guerre. Les coloniaux ne subissaient pas la conscription, et auraient donc pu esquiver la boucherie. On constata exactement le contraire : plus de quatorze mille Réunionnais se portèrent volontaires, dix mille furent incorporés... et plus de mille périrent au combat. On comprend donc que tout ce qui peut rapprocher de la France, moi y compris, bénéficie d'un tel engouement...

Le dimanche 1er décembre 1929, à la tristesse générale, je m'arrache à cette petite île si accueillante. Il faut bien rentrer. Et mes hommes ont hâte de retrouver leurs familles. Avant Noël, comme Goulette le souhaite? C'est encore possible...

Dans l'habitacle, entre les bagages, ont été fourrés quelques souvenirs de l'île qui s'éloigne rapidement derrière moi : un merle blanc naturalisé pour Goulette, l'écharpe du maire de Sainte-Marie pour Marchesseau et… une bouteille de vieux rhum pour Bourgeois. Plus, bien rangées dans une pochette, quelques photos dédicacées d'une célébrité locale : le grand chef de guerre Abd-el-Krim, seigneur du Rif marocain, grand pourfendeur d'Espagnols, qui a été vaincu par le général Pétain et ses troupes, et depuis mijote en semi-liberté à 12 000 kilomètres de chez lui…

La conversation va bon train dans la cabine. Chacun de mes trois hommes rappelle les bons moments, les fêtes, les fous rires, les rencontres imposantes, ou exquises. Ah, La Réunion, on s'en souviendra !

Nous ne risquons pas, sur le chemin du retour, les mésaventures de l'aller : Madagascar allonge une muraille de 1 500 kilomètres devant nous, impossible de la rater !

Il est prévu que nous fassions une escale de plusieurs jours dans l'île Rouge : l'usine Salmson a expédié un moteur de rechange, qui doit être arrivé. Il sera le bienvenu : mon neuf cylindres consomme de plus en plus d'huile…

Justement, à l'approche de la côte malgache, Marchesseau tapote un indicateur sur le tableau de bord :

— Tu ne veux pas regarder, Jean-Michel ? Il y a quelque chose de bizarre avec la pression d'huile !

Bizarre, sûrement : elle est normalement de 3 kilos par centimètre carré, la voici tombée à 1 kilo.

— Pompe désamorcée ! annonce mon mécanicien.

L'aiguille remonte d'un coup à 2,5 puis plonge résolument vers le 0, et s'y cale.

Panne définitive ! Le moteur va griller ! On pourrait peut-être se poser à Moramanga ? Il y a un terrain de secours !

Goulette grimace : se poser en urgence à Moramanga signifie y attendre des jours que notre moteur neuf soit acheminé de Tananarive. S'il arrive…

— Combien de temps est-ce qu'on peut tenir sans huile ?

— Une demi-heure maximum. Et encore, à bas régime ! On est à combien de Tana ?

— 80 kilomètres ! 20 minutes de vol ! Votre avis à tous les deux ?

Goulette et Bourgeois hochent la tête : d'accord, on tente le tout pour le tout !

Commence alors une des plus longues demi-heures de ma carrière. Le Salmson peine et me tire de plus en plus mal. En outre, les flux aériens sont très perturbés au-dessus des hautes pentes de Madagascar, et nous secouent comme un panier de pruneaux. Marchesseau a bien de la peine à conserver 500 mètres entre mon ventre et les collines ravinées de la Grande Île...

— Tananarive en vue!

Y arriverons-nous? Une odeur d'huile brûlée agresse les narines des trois hommes, la chaleur du moteur est perceptible jusque dans l'habitacle. Des fumées suspectes commencent à apparaître et le régime diminue rapidement : les cylindres, un à un, « serrent » sous l'excès de température.

Et d'un coup l'hélice s'arrête et se bloque en croix, à cinq minutes du terrain d'Ivato.

— Terrain en vue. Je me pose directement! Pas d'autre avion à l'horizon? Regardez bien par les fenêtres!

Heureusement, on est en 1929 et les aéronefs militaires de la Grande Île se comptent sur les doigts d'une main : le ciel est parfaitement vide. Heureusement aussi que je suis bon planeur : nous avons juste la marge de sécurité pour glisser vers la piste...

Le silence est presque absolu, on n'entend que le doux sifflement du vent sur mes ailes.

Le terrain est bien orienté, il n'est heureusement pas nécessaire de se livrer à des manœuvres compliquées pour l'approcher. Parvenu au-dessus de l'herbe, Marchesseau pousse un peu le manche, me pose parfaitement, freine et se retourne, rieur :

— Vous voyez, les gars, ce n'est pas encore pour ce coup-ci !

Tout de même, c'était vraiment juste, cette fois !

Le lendemain matin, l'examen du moteur par Jean-Michel Bourgeois, révèle la cause de la panne : la pompe à huile s'est désamorcée, sans doute dans une turbulence.

— Heureusement que ça n'est pas arrivé deux heures plus tôt, sinon on prenait le bouillon ! commente tranquillement mon mécanicien.

Et de démonter la pièce défectueuse sans autre émotion.

Quand on a pris l'habitude de suspendre sa vie aux innombrables caprices d'une machine encore fragile – je le reconnais moi-même, on peut faire plus fiable ! —, de la météo et d'innombrables facteurs d'origine humaine ou animale (du genre lion qui fait fuir un gardien), on est obligé de devenir philosophe…

Heureusement, le moteur de rechange est

arrivé et nous attend, bien emballé dans sa grosse caisse de bois marquée d'inscriptions au pochoir : «MARSEILLE, TAMATAVE, TANANARIVE». Une caisse qui sent la cale de bateau et le voyage au long cours...

Dès le lendemain matin, Bourgeois se met au travail. Pas facile : les orages sont fréquents, et le terrain militaire d'Ivato ne possède aucun hangar. Mais mon mécanicien est le meilleur du monde : il s'organise, il travaille avec le soleil, jette une bâche sur mon capot quand il va pleuvoir et s'abrite dans la cabane la plus proche. Les mécanos militaires lui donnent un coup de main et, en trois jours, mon Salmson tout neuf est en place, solidement assujetti à mes longerons d'acier. Essais au sol, essais en vol... Le 7 décembre, je suis prêt ; mon immobilisation n'aura duré que cinq jours !

— Demain, annonce Goulette, on rentre chez nous !

Le retour avant Noël reste largement possible, malgré ce petit contretemps.

C'est du moins ce que croient mes hommes...

13. L'île déserte

8 décembre 1929, vingt-sixième jour

Nous quittons Tananarive à 1 h du matin. Pourquoi un départ si matinal ? C'est que Goulette voudrait bien battre notre record de la traversée de l'Afrique : nous serons à Quelimane avant 9 heures ; de là, nous pourrons peut-être repartir vers Broken Hill et franchir en un jour ce qui nous en avait demandé deux au voyage aller.

— Cette fois, nous savons où sont les terrains, et nous ne perdrons pas de temps à tourner en rond... même s'il y a des lions qui ont chassé le gardien !

Ils sont de belle humeur, mes hommes, et pressés de rentrer – cela sent l'écurie, comme disent les cavaliers...

Mon décollage ramène le sérieux car je suis chargé à bloc, et la pluie a encore détrempé mes ailes. En outre, nous sommes à 1 200 mètres d'altitude et l'air est moins porteur. Et la météo annonce des orages.

— Vous êtes sûrs que vous voulez partir cette nuit ? disent les gars d'Ivato. Il a beaucoup plu, il pleuvra encore…

Goulette se frotte le menton, flaire l'obscurité, consulte une dernière fois ses compagnons. La décision est lourde : partir, c'est risquer de se retrouver dans un ciel bouché.

— On y va. Tout se passera bien !

Le choix est fait, qui peut faire la différence entre la vie et la mort…

Le terrain de Tananarive ne possède aucun balisage de nuit : ce sont des automobiles, alignées le long de la piste, qui éclairent le sol inégal. Marchesseau a veillé à ce qu'une de ces voitures soit placée face à nous, tout au bout de la piste : s'il ne parvient pas à m'arracher à la terre mouillée avant ses phares, il faudra freiner sec !

1 heure du matin.

Mon moteur neuf tourne depuis plusieurs minutes, il est chaud, il pourra développer le maximum de sa puissance. Des hommes ont épongé mes ailes avec des linges secs. Un geste dérisoire : je suis tant alourdi par la pluie et les intempéries, moi qui n'ai dormi dans un hangar que trois nuits, depuis deux mois que nous sommes partis !

Derniers saluts, voix un peu trop fortes des hommes qui essaient de masquer, sous une fausse jovialité, la peine des uns et les angoisses des autres. C'est toujours poignant, un départ, et celui d'un avion surchargé, en pleine nuit et sous la pluie, l'est plus encore...

Le trio claque les portes, s'installe. Marchesseau fait monter le régime, on enlève mes cales, je roule, je roule, longtemps, loin... Mon pilote m'enlève au ras de la dernière voiture, que je survole en rugissant. Il n'y a pas à dire, c'est vraiment le meilleur !

Les phares disparaissent en bas, nous voici brutalement seuls dans la nuit. Il n'y a même pas la petite lumière verte des instruments, dans l'habitacle : je l'ai dit, je suis un avion rustique. De temps en temps, un éclair d'orage nous illumine : moi, ombre noire suspendue dans le néant, et les nuages, partout, au-dessus et au-dessous, devant et derrière...

Vers 3 h, nous atteignons la côte malgache et le ciel s'éclaircit enfin. Quatre heures de vol nous attendent encore au-dessus du canal de Mozambique, sans escale possible. Mais tout va bien, le moteur tourne à la perfection, la pression d'huile, que Bourgeois vérifie de temps en temps d'un rapide éclair de sa lampe de poche, est optimale...

À 4 h 15, Goulette signale :

— Juan de Nova, à droite !

La navigation de mes hommes a été parfaite : nous devions passer à la verticale de cette minuscule île française, et la voici au rendez-vous !

— Quel endroit perdu...

L'île, vue du ciel, dessine une sorte d'enclume, au bord d'un platier circulaire aux eaux pâles. Elle est toute petite : à peu près 6 kilomètres dans sa plus grande longueur, moins de 2 dans sa largeur.

— Des gens y habitent ?

— Je crois, oui... Une exploitation de coprah. Des cocotiers, c'est tout ce qui pousse là-dessus ! On y récolte aussi le guano des oiseaux de mer, pour l'agriculture...

Juan de Nova est une île corallienne. Plus haute altitude : 2 mètres ! Sol de sable blanc, enrichi dans l'intérieur par un peu d'humus dû aux oiseaux et à la végétation, des plages imma-

culées bordées de cocotiers, un lagon poisson-
neux… Un rêve pour vacanciers ? Plutôt un
petit enfer, manquant d'eau douce, et infiniment isolé à mi-chemin entre Madagascar et la
côte africaine.

Nous dépassons Juan de Nova et je poursuis
ma route vers Quelimane : plus que 400 kilomètres, trois petites heures de vol…

Mais voici que Marchesseau agite ses pieds
et s'exclame :

— Qu'est-ce que c'est…

Il se penche, flaire. Il sait déjà, l'odeur est si
caractéristique. Mais ce qu'il va annoncer est
si terrible qu'il essaie de gagner cette ultime
seconde. Il voudrait tant s'être trompé, avoir
été victime d'une illusion. Mais non…

— De l'essence ! L'essence coule sur mes
pieds !

Bourgeois se précipite, glisse dans l'étroit
espace à l'avant de la cabine, allume sa lampe
de poche. Un jet pulse sur les chevilles de
Marchesseau, comme du sang jailli d'une artère.

— Rupture en sortie de pompe !

Bourgeois se tortille, les coudes dans le carburant qui lui éclabousse le visage, examine
la fuite. C'est ce tuyau, là, qui crache furieusement ! Il faudrait pouvoir couper la pompe,

mais sans pompe, pas de moteur, et sans moteur... plouf!

— Attends, j'essaie quelque chose!

Avec un chiffon, mon mécanicien improvise une sorte de garrot autour du tuyau déchiré. L'essence fuit moins, mais elle suinte tout de même et fait des flaques sur la tôle du plancher. Mes fenêtres grandes ouvertes ne parviennent pas à évacuer les vapeurs mortelles, qui donnent mal à la tête et surtout qui peuvent s'enflammer à la moindre étincelle.

— Cette fois, capitaine, c'est foutu! On va se noyer! constate Marchesseau.

Il baisse un peu le régime du moteur, comme si cela pouvait changer quelque chose. Il n'y a rien à espérer : l'Afrique est bien trop loin, Madagascar aussi. Nous aurons explosé bien avant d'avoir atteint la côte la plus proche... Que faut-il préférer : brûler vifs en plein ciel, ou se poser sur l'eau et se noyer lentement?

Bourgeois, toujours accroupi sur la tôle, ne dit rien : il a vu quelque chose qui paralyse son esprit. À l'arrière du moteur, à une main de la fuite d'essence, ronflent les deux dynamos, qui produisent l'électricité nécessaire à mon fonctionnement. Un fil mal connecté, le moindre défaut d'isolement qui pourrait provoquer une étincelle, et nous nous transformons en comète.

Mais la voix calme de Goulette couvre le bruit du moteur :

— Juan de Nova ! Derrière nous ! Essayons de la retrouver !

Marchesseau appuie sur les commandes, entame un virage. Juan de Nova, l'île perdue, le bout de corail désolé, prend soudain l'image merveilleuse du canot de sauvetage, quand il apparaît aux naufragés : le seul salut possible...

Nous faisons demi-tour. Dix minutes, un quart d'heure vers l'est... Marchesseau et Goulette écarquillent les yeux dans la nuit : vont-ils retrouver la minuscule île ?

Pendant ce temps, Bourgeois, tordu dans le fond de la cabine, tente une réparation de fortune. Il est presque parvenu à étancher la fuite.

— Je coupe la pompe !

Mes réservoirs d'aile sont encore assez pleins pour que l'essence en coule toute seule, par gravité. Bien sûr, il ne faudra pas trop me pencher, pour que les tuyaux ne se désamorcent pas. Et il faudra bientôt remettre la pompe en marche, car quand le niveau baissera, il n'y aura plus assez de pression. Mais au moins avons-nous un sursis...

— La voilà !

Une flaque claire, un triangle noir : à cette heure matinale, Juan de Nova n'est encore qu'un jeu de gris sur l'immensité obscure de l'océan.

— On ne pourra jamais atterrir avec si peu de lumière ! Il faut attendre que le jour se lève !

Goulette se penche vers l'avant, où une forme recroquevillée s'agite et grommelle.

— Combien de temps, Jean-Michel ?

— Une heure avant que je sois obligé de rétablir la pompe. Maximum !

Une heure… Marchesseau commence à tourner au ralenti, à moyenne altitude. Les gars de Juan de Nova doivent se demander ce qui se passe ! Bourgeois et Goulette échangent des chiffons – le mécanicien s'en sert comme serpillières pour éponger l'essence, le capitaine les tord dehors par la fenêtre ouverte, telle une ménagère qui nettoie son carrelage. Bientôt, l'odeur entêtante du carburant s'estompe. Peut-être que nous n'exploserons pas en vol, finalement ? Reste à savoir si nous n'allons pas nous fracasser à l'atterrissage. Car naturellement, il n'y a pas de piste à Juan de Nova, cet endroit n'a jamais vu d'avion.

5 h 30.

Une bonne heure que nous tournons au-dessus de Juan. Une bande pâle éclaire enfin l'Orient : le jour se lève.

— Eh bien… siffle Marchesseau.

L'île est entièrement couverte de cocotiers formant une forêt clairsemée mais omniprésente. Les plages elles-mêmes sont mangées par les arbres. Aucune n'offre d'espace assez large pour qu'on puisse s'y poser. En outre, le sable doit y être mou : capotage garanti !

— On va tout casser !

— Refais un passage dans l'autre sens, je crois avoir vu une trouée…

Juan de Nova défile à nouveau à 300 mètres sous mes ailes.

— Ici ! Regarde !

La trouée en question doit mesurer au maximum 120 mètres de long, sur une vingtaine de large. L'équivalent de deux terrains de tennis bout à bout. J'aurai, de chaque côté de mes ailes, la marge correspondant à un homme les bras écartés : il va falloir viser sacrément juste !

Marchesseau ne dit rien. Jamais il n'a eu à se poser sur un terrain aussi minuscule. Et s'il rate son coup, nous n'aurons pas la punition modérée d'un cheval de bois car en bout de « piste », les cocotiers forment une rangée épaisse, sur laquelle il vaudrait mieux ne pas se fracasser…

Un passage dans un sens, un passage dans l'autre, pour bien prendre ses repères… Une chance, le vent ne souffle pas trop fort.

Bref regard du pilote vers l'arrière. Les deux autres se taisent, se calent de leur mieux dans l'attente du choc. Goulette examine ses mains, souillées par les chiffons. Peut-être se dit-il qu'il aurait préféré mourir propre…

Moteur au régime minimum, j'effleure de mes roues la mer de palmes. Marchesseau corrige mes dérapages, les anticipe même. Jamais sa main n'a été aussi légère sur mes commandes.

La trouée apparaît devant mon nez. Moteur coupé! Manche en avant! Je plonge comme une pierre. Un cocotier égratigne mon empennage, déchire mes gouvernes arrière. Mais il ne me déséquilibre pas. Mes roues cognent brutalement le sol blanchâtre. Freiner! Vite! Plus fort, les freins! Les arbres défilent comme un mur, à quelques pas de mes ailes. Les freins grincent et chauffent, je pars un peu de côté. Marchesseau rattrape cette embardée, lâche les freins, les serre à nouveau, à bloc. Je m'arrête au ras des arbres, tout à la fin de la clairière.

Alors, René Marchesseau, trente-deux ans, cet homme solide qui a connu la Grande Guerre et la campagne du Maroc, s'effondre sur mon tableau de bord et fond en larmes comme un enfant...

Les épouses sont heureuses. Elles viennent de recevoir un télégramme de Madagascar : les hommes ont décollé sans problème ! Ils sont sur le chemin du retour !

Ils seront bien là à Noël, pensent-elles...

14. Sauvetage

— **B**onjour monsieur. Vous êtes perdus?

Goulette, qui vient de sauter de la cabine, pâle d'émotion, jambes flageolantes, sursaute. L'homme en haillons qui est sorti de la forêt arbore un large sourire.

— Ou fine perdi*?

— Hein? Vous habitez ici?

Oui. Ils sont une quinzaine de travailleurs, sous les ordres de deux contremaîtres, qui récoltent à longueur d'année les noix de ces milliers de cocotiers. Ils en extraient la pulpe – le coprah –, qui est laissée à sécher au soleil, puis

---

* Ce qui veut dire : « Vous êtes perdus? » en créole de l'île Maurice et des Seychelles (les travailleurs de Juan de Nova sont natifs de ces îles).

stockée, en attendant le bateau qui viendra la prendre. On en fait de l'huile de coco. D'ailleurs une odeur puissante, moitié fromage, moitié moisi, couvre toute l'île et masque bientôt celle de l'essence, dont les dernières vapeurs disparaissent dans la chaleur montante.

S'y additionne un remugle plus lourd, acide et quelque peu écœurant : sur le rivage, à l'ombre des cocotiers, s'allonge un immense tas de guano. Le guano est constitué des déjections d'oiseaux de mer, qui couvrent les rochers du lagon d'une épaisse couche blanchâtre. C'est un puissant engrais azoté, que l'on combine avec des phosphates pour enrichir les champs de canne à sucre, à La Réunion et à Maurice. Les gens de Juan vont le récolter dans de larges canots, stables et profonds, et partagent leur vie entre trois puanteurs : celle du coco ranci, celle du guano et celle du poisson séché…

Mes hommes suivent leurs hôtes jusqu'à leur village : de pauvres huttes en branchages couverts de palmes, près desquelles sèchent des guirlandes de poissons, et le «bungalow des contremaîtres», une bâtisse en bois qui a connu de meilleurs jours.

— Dites-moi, le bateau qui embarque le coprah, il vient quand?

— Oh, il passe de temps en temps… Une fois tous les six mois, à peu près!

— Tous les six mois?

Les aviateurs échangent des regards effarés. Il va falloir rester six mois sur ce caillou perdu?

— Vous avez bien un émetteur radio?

— Ah non. Et comment elle marcherait, monsieur, notre radio? Nous n'avons pas d'électricité dans l'île, même pas de lampe à pétrole! Notre lumière, c'est le soleil!

— Comment on va faire pour alerter les autres?

Ils sont sauvés, certes, mais personne ne le sait. Quand Quelimane va annoncer qu'aucun avion n'est arrivé, tout le monde va s'inquiéter, à commencer par les épouses… Si nous avions disparu au cours d'une étape terrestre, il y aurait eu de l'espoir, on aurait pu imaginer un atterrissage forcé. Tandis qu'entre Madagascar et l'Afrique, sur 500 kilomètres de mer, il n'y a rien. Que Juan de Nova et sa clairière grande comme deux terrains de tennis…

— Eh bien, qu'est-ce qu'on peut faire? se résigne Goulette. Attendre!

Six mois là-dessus, cependant, cela risque d'être long! Il n'y a aucune distraction, que contempler la mer infinie. Inutile de chercher à se promener dans l'île : il y règne une chaleur d'étuve, et le paysage est partout semblable.

On ne peut même pas réparer mes avaries : il faudrait de la toile pour mon empennage, une pompe de rechange, des tuyaux… La seule chose que Bourgeois puisse faire est d'abriter mon moteur sous une vieille bâche. Les oiseaux de mer, ces insolents, m'ont déjà adopté comme perchoir et couvrent mes ailes de fiente…

Dimanche 9 décembre.

Lundi 10 décembre.

Mardi 11 décembre.

Mercredi 12 décembre.

Les jours s'écoulent et se ressemblent tous.

Ce mercredi soir, mes hommes sont assis sous la terrasse de la maison des contremaîtres. Ils remuent pour la centième fois les mêmes pensées : leur disparition a été signalée, on a dû entamer des recherches, mais personne sans doute n'a imaginé qu'ils aient pu se poser à Juan de Nova. Donc, on doit les croire morts.

Et il n'y a rien d'autre à faire qu'attendre, attendre, attendre!

Ici, la vie n'est pas pénible, les gens de l'île font de leur mieux pour accueillir leurs hôtes inattendus, mais quel ennui, et quelle impuissance!

Le téléphone a sonné chez les épouses. Elles savent.

«Pas atterris à Quelimane. Recherches en cours. Gardons espoir.»

Elles savent ce que veut dire ce genre de message. D'autres femmes d'aviateur l'ont reçu avant elles, d'autres le recevront encore après. Quelle idée aussi que lier sa vie à un de ces fous…

Et pourtant elles ne s'imaginent pas encore veuves. Il n'y a aucun espoir : elles connaissent la carte aussi bien que tout le monde, mieux que tout le monde. Il n'y a rien entre Madagascar et l'Afrique, que de l'eau.

Mais un miracle… Il n'y aurait pas de femmes d'aviateur, il n'y aurait pas d'aviateurs du tout, si ces étourneaux, qui croient pouvoir s'affranchir de la pesanteur, ne croyaient pas un peu aux miracles.

Alors, elles font ce qu'elles savent si bien faire,

depuis toujours, les épouses des hommes qui s'en vont au loin : elles se taisent, elles prient et elles attendent...

Tiens, voici qu'un des gars de l'île arrive en courant. C'est drôle : il galope, il s'arrête, il regarde la mer, les mains en visière au-dessus des yeux, il se remet à courir ... Aurait-il aperçu quelque chose ?

— Un bateau !

Ils ont une fameuse vue, ces robinsons ! Il faut dire qu'ils passent six mois par an à attendre une visite...

— Le cargo du coprah ?

— Non ! Un plus gros bateau !

Cela pourrait être un marchand qui remonte le canal de Mozambique, et qui passe là par hasard. Peu vraisemblable pourtant : les navires au long cours essaient plutôt d'éviter Juan, qui est un dangereux récif sur leur route.

— Les signaux de détresse ! Vite !

Les habitants de l'île disposent de tout un système de pavillons, qui peuvent être hissés au haut du mât, devant la maison, pour signaler les urgences. Il faut espérer que sur le bateau, quelqu'un tournera ses jumelles vers l'île...

Les heures passent. La fumée grandit à l'horizon, se rapproche. On peut bientôt voir la coque, une grande coque.

— Ça, patron, c'est un paquebot!

Les coupeurs de cocos sont tout excités : des paquebots, Juan de Nova n'en voit jamais. Un avion et un paquebot en quelques jours, autant d'événements historiques qu'ils raconteront à leurs enfants et aux enfants de leurs enfants...

— Il approche! Il a vu nos signaux!

Goulette se lève nerveusement, entre dans la maison. Un des contremaîtres l'arrête :

— Pas la peine de vous faire beau, monsieur! Il ne peut pas approcher, à cause des récifs, et la nuit va tomber. S'ils ont du temps, ils vont mettre en panne et nous enverrons une chaloupe demain matin. S'ils n'ont pas de temps, eh bien...

Il fait un geste explicite : s'il n'a pas de temps, le paquebot repartira. C'est que cela coûte cher, une nuit d'immobilisation pour un engin pareil. Et il doit y avoir à bord des passagers impatients!

Mais toute la nuit, à chaque fois que les hommes, incapables de dormir, dardent un œil vers la mer, les lumières du paquebot sont là, patientes et immobiles. Et le matin, une chaloupe descend lentement le long de la muraille sombre, des marins en tenue impeccable s'y installent, dirigés par un officier en uniforme blanc... Cette fois, Marcel Goulette peut mettre sa chemise neuve.

La chaloupe accoste, l'officier hésite un peu, puis salue.

— Vous êtes les aviateurs?

Goulette hoche la tête. Alors, l'officier monte vers lui, les larmes aux yeux.

— Je suis le capitaine en second du *Maréchal Gallieni*. Nous sommes fiers de vous avoir retrouvés, messieurs! Permettez que je vous serre la main, c'est un honneur pour moi!

Un quart d'heure plus tard, la chaloupe repart vers le paquebot, avec Goulette, Marchesseau et Bourgeois. Tout l'équipage, tous les passagers les attendent à la coupée et les applaudissent chaleureusement.

— Ah, vous pouvez dire que vous nous avez donné des émotions! leur dit le commandant du *Gallieni*. Nous étions en route vers le sud de Madagascar quand nous avons reçu un message radio nous disant que vous étiez perdus en mer. Comme nous étions les plus proches sur la zone, nous avons fait des recherches, sans aucun espoir comme vous l'imaginez. Nous sommes venus ici un peu par hasard : je voulais demander aux gars de Juan s'ils n'avaient rien vu ou entendu... Mais vous trouver ici, sur cette île minuscule, ça je n'y aurais jamais cru ! Comment avez-vous fait ?

Ils s'expliquent, ils bavardent, les passagers se pressent pour entendre l'extraordinaire récit, pour voir et toucher les héros, le champagne coule à flots, les douches aussi car bien sûr on a mis une cabine à la disposition des aviateurs, qui retrouvent avec délice le luxe de l'eau douce et du savon parfumé.

Et surtout, pendant que le *Gallieni* fête les naufragés, un message radio traverse les mers : « Sont retrouvés sains et saufs ! » Les épouses, là-bas, les amis, les collègues aviateurs, l'équipe de Farman et celle de Salmson vont respirer. L'impensable s'est produit : il n'y avait qu'un bout de caillou sur cette immensité marine, et ils s'y sont posés !

— Bon, il n'y a pas d'autre choix : il faut que l'un de nous reste à Juan pour veiller sur l'avion, pendant que les autres iront chercher les pièces nécessaires. Qui s'y colle ?

Bourgeois, naturellement...

— Nous ferons au plus vite, Jean-Michel ! Peux-tu nous dresser la liste de ce qu'il te faut ?

Elle est bientôt établie : de la toile pour réparer l'empennage, une autre pompe à essence, des tuyaux, des joints…

— Et en vous attendant, dit le mécanicien, je ferai agrandir la piste.

Éclat de rire général : appeler «piste» un si petit morceau de terrain plat ! Il va falloir abattre des dizaines d'arbres pour què j'aie assez d'espace pour décoller, le jour venu…

— Hum, messieurs… intervient le commandant du *Maréchal Gallieni*.

Il a ses horaires à respecter, il doit repartir.

On charge dans une chaloupe une caisse de vin et un sac de farine, afin d'améliorer l'ordinaire de Jean-Michel Bourgeois. Celui-ci embrasse ses amis et retourne vers sa terre d'exil, le cœur un peu lourd : il va se retrouver seul au milieu des coupeurs de cocos, pendant des semaines. Derrière lui, le paquebot relève ses ancres à grand fracas et émet un long cri de sirène. Déjà, de la salle radio, Goulette fait envoyer des messages à Madagascar pour qu'on rassemble au plus vite ce dont il a besoin. «Alertez Farman, précise-t-il, si vous ne possédez pas tout sur place.» Cela fait, il expédie un bref télégramme à son épouse : «Ne serons pas là pour Noël. Désolé. Tous en bonne santé.

Baisers. » Puis il va s'asseoir sur le pont. Ils n'ont plus rien à faire, lui, Marchesseau et Bourgeois, que s'asseoir et patienter...

Trois semaines ont passé sur l'île perdue. Jean-Michel Bourgeois attend.

Il s'est installé de son mieux dans la maison des contremaîtres. Ce sont des métis, tandis que les travailleurs sont noirs. Tous viennent des Seychelles. Certains des travailleurs sont en famille : des femmes, des enfants vivent sur cette île microscopique. Il en est qui sont nés ici, et n'ont jamais connu d'autre horizon.

Le propriétaire de la concession est un Mauricien blanc : toute la hiérarchie coloniale s'illustre dans cette société minuscule. Il n'habite pas l'île, évidemment. Il vient de temps en temps, une fois par an, rarement plus, sur le caboteur de ravitaillement.

Selon le temps et l'état de la mer, le travail s'oriente vers la pêche, la récolte du guano ou celle des noix de coco. Les ouvriers gagnent en théorie de 8 à 10 roupies par mois, l'équivalent de 10 francs de l'époque (moins de 30 euros actuels), mais la société d'exploitation défalque de ce salaire modeste le montant du riz et du tabac qu'ils consomment. Autant dire que ces gens sont infiniment pauvres. Unique compensation : ils ne dépensent rien, n'ayant aucun magasin à portée, ce qui fait qu'ils ont un petit pécule à la fin de leurs années de robinsonnade.

Les maisons de Juan de Nova sont lépreuses, on y dort sur des lits de fer aux matelas durs comme roche, persécuté par les moustiques et les rats. Car il y a des rats sur l'île, des hordes, descendus secrètement des navires et qui se multiplient à l'infini, puisqu'il n'y a pas de chat pour les dévorer.

Alimentation des colons ? De l'oiseau de mer, de la tortue de mer, du poisson de mer, des œufs de tortue ou d'oiseau de mer... Au bout de trois semaines de ce régime, Bourgeois rêve de bifteck saignant toutes les nuits ! Et pas moyen de cuire un pain convenable avec la farine offerte par le *Gallieni* : il n'y a aucun four correct à Juan.

Reste le vin... Mais une caisse de vin, ça ne dure pas quand on a le cœur à partager ! Au bout de quelques jours, il ne reste plus que la boisson ordinaire de ce lieu perdu : l'eau d'un puits, croupie et malsaine, qu'il faut faire bouillir longuement avant de la boire. Et comme il fait très chaud à Juan de Nova, le liquide ainsi désinfecté refroidit lentement : bien souvent, on est obligé de l'avaler tiède, ce qui n'est guère désaltérant...

Mais Bourgeois ne se plaint pas : il y a pire. Par exemple s'écraser en pleine mer. Ou être obligé de vivre là pendant des années, pour un salaire de misère. Lui, il n'habite Juan que pour un temps...

Les premiers jours, il a travaillé comme un fou. Il fallait avant tout me protéger des oiseaux et de l'humidité ambiante, qui ronge ma toile. Avec les travailleurs, mon mécanicien a érigé un grand abri de palmes : au moins, je n'aurai plus à subir l'agression alternée du soleil brûlant et des embruns de la nuit, ni les projections insolentes des frégates et des fouquets. Patiemment, avec des gestes presque maternels, Bourgeois a ensuite passé deux journées à enduire de graisse toutes mes parties métalliques susceptibles d'être attaquées par l'air salin. Puis, dirigeant les coupeurs de cocos, il a fait abattre les arbres sur une bonne centaine de mètres, et raser les souches au ras du sol. Ce sera une brève piste, qui s'ouvre sur la déclivité de la plage, mais elle devrait suffire. Il faudra qu'elle suffise! Depuis, ayant accompli tout ce qui pouvait l'être, il attend, et s'ennuie terriblement. S'il avait su, il aurait emprunté un stock de livres à la bibliothèque du *Gallieni* !

La journée, il n'y a rien à faire, que s'abriter du soleil. Le soir, les travailleurs ou leurs contremaîtres s'évertuent à distraire leur hôte, le conviant à leurs repas familiaux, à un occasionnel anniversaire. Il y a aussi la marée basse, où Bourgeois goûte sa détente quotidienne : le bain de mer. Pas question de se baigner à marée haute : des requins énormes viennent batifoler jusqu'au ras de la plage...

Et il y a des gens qui qualifient cet endroit de paradis !

Le 30 décembre, vingt-troisième jour de cette longue pénitence, Jean-Michel Bourgeois est allongé sur sa couchette, essayant de faire la sieste. Il dort mal la nuit, à cause des moustiques et des rats. À force de rester inactif, il est tombé dans une espèce de torpeur qui n'est pas un repos – au contraire, plus il y cède et plus il se sent fatigué – mais une sorte d'absence, de déconnexion du monde réel.

Ce monde, pour l'heure, n'est pas gai : une tempête fait rage et bat le rivage de ses grosses déferlantes, le temps est gris, et grise elle-même l'île, dont le sable corallien a pris des reflets sales. Noël, ce Noël qui devait voir les retrouvailles à Paris, s'est déroulé ici dans une indifférence presque complète : comment faire la fête quand on ne possède rien ? Et l'année 1930 approche sans qu'on puisse espérer un grand changement. Bourgeois bout d'impatience et d'impuissance. Il y a des moments où il voudrait tout cesser, d'autres où il voudrait mourir.

Mais quel est ce bruit qui tresse une musique de fond sur celle du vent et des vagues ? Une chanson à nulle autre pareille, la plus belle chanson pour une oreille de mécanicien : un moteur !

Un avion !

— Peut-être des nouvelles, un message pour moi ?

Bourgeois bondit de sa couchette, galope jusqu'à la plage, écoute intensément pour savoir où ronronne cette machine. Tous les travailleurs ont jailli eux aussi de la cocoteraie et scrutent les nuages bas. Encore un aéroplane ? Que d'événements décidément depuis quelques semaines !

Un bras se tend :

— Ici !

Une croix sombre glisse entre deux masses nuageuses, en direction de Madagascar. La vision est extrêmement fugitive, mais l'œil exercé de Bourgeois a eu le temps d'identifier l'appareil.

— Un Farman! C'est un Farman!

Mon frère, qui vole au-dessus du crachin vers la Grande Île et ne nous a pas vus...

— Je crois savoir qui c'est! s'exclame Bourgeois : Roux, Caillol et Dodement! Ils devaient faire le même raid que nous. Je me souviens même qu'ils ont un Farman 197, équipé d'un moteur Lorraine 7 cylindres en ligne de 240 chevaux...

Ce genre de détail, il ne l'oublie pas, mon Jean-Michel. Il se demande un moment si le Lorraine est plus fiable que le Salmson, si les cylindres en ligne tournent aussi régulièrement que les cylindres en étoile, s'il n'y a pas de problème de refroidissement...

Mais le bruit s'est tu, l'avion est parti. Rentrons à la cabane, où la vieille couchette sale attend, la couchette de l'oubli...

Onze jours plus tard, le 10 janvier. Trente-quatre jours donc que Bourgeois attend. Le ciel est parfaitement limpide ce jour-là, et le moteur s'entend de loin : l'avion revient!

Cette fois, le Farman approche de l'île, se laisse glisser vers le sol. Et soudain une fenêtre de la cabine s'ouvre, un petit paquet prolongé d'un ruban blanc tombe, lâché par une main qui esquisse un salut. Bourgeois saute et danse sur la plage, criant des encouragements aux amis qui ne l'entendent pas et disparaissent bientôt à l'horizon. Il ne peut pas s'empêcher de penser que ces trois-là sont de fameux veinards : dix jours à Madagascar et les voilà qui rentrent déjà ! Cela veut dire qu'ils n'ont pas subi d'avarie et qu'ils seront bientôt en France !

Mais on ne devrait jamais envier les autres : on ne sait pas de quoi demain sera fait...

Un pêcheur jaillit de la cocoteraie, portant triomphalement le paquet et son ruban. C'est une petite boîte en carton, lestée d'une pierre, qui a été un peu déformée par la chute. Bourgeois la hume avec délices, elle sent l'huile de moteur, la civilisation...

Dedans il y a deux lettres : une longue missive de Mme Bourgeois et un mot de Goulette. Mme Bourgeois a remis sa lettre à Dodement à son départ de Paris. Elle ne savait pas encore que son mari allait se perdre sur une île presque déserte, elle pensait que les deux avions allaient se croiser, l'un descendant l'Afrique, l'autre remontant. Elle cache, sous de banales nouvelles de la maison, son attente, ses angoisses :

inutile d'ajouter de la nostalgie aux soucis professionnels de son Jean-Michel !

Goulette, lui, annonce que la recherche des pièces a pris plus de temps que prévu, mais que Marchesseau et lui seront là au prochain passage du *Gallieni* dans la région, soit le 26 ou le 27 janvier.

Il y a donc un terme à la longue attente : plus que seize ou dix-sept jours. Et une tâche à accomplir : fignoler la piste, couper les arbustes qui ont repoussé, aplanir de son mieux le sable et le corail, à la pelle et à la pioche...

Mais le 26 janvier arrive, puis le 27, sans bateau à l'horizon. Bourgeois déambule du village au terrain, s'use les yeux sur la mer, essaie de calmer ses nerfs en pelote, de lutter contre son humeur exécrable. De la couchette à la plage, de la plage à la piste, que les journées sont longues !

Rien encore le 28 janvier. Cette lettre lui a donné une fausse joie... Il y a sans doute eu un nouveau contretemps. Quoi, cette fois ? Goulette malade ? Le paquebot naufragé ? Ils ont pourtant tout subi, depuis leur départ, la coupe devrait être vide !

Et pas moyen de dormir, même si on se force à se résigner, à penser à autre chose...

Mais en fin de soirée, la cloche de Juan se met à tinter furieusement : le bateau est en vue, le bateau est là !

Vite, les hommes mettent à l'eau une de leurs odoriférantes chaloupes à guano, huit vigoureux rameurs emmènent Bourgeois à toute allure vers le grand navire, en chantant des chansons seychelloises, qui fleurent bon le vieux français et les ballades de marins. La vieille coque de bois approche la haute muraille de fer, Bourgeois saisit l'échelle qu'on lui lance, commence à monter à bord... Il aura attendu cinquante-deux jours sur Juan de Nova.

Les retrouvailles sont chaleureuses, on se tape dans le dos, on se congratule. Le commandant du *Maréchal Gallieni* joint à la fête sa mine réjouie mais soucieuse : «Pardonnez-moi, messieurs : mon horaire à respecter...» Trêves d'embrassades, il faut débarquer. Vite, les trois hommes chargent dans la chaloupe à guano les bidons d'essence, les pièces de rechange, quelques vêtements et de menus cadeaux pour les si accueillants habitants de Juan, et au revoir le *Gallieni* !

Belle époque, tout de même, où les paquebots détournaient leur route pour trois fous de l'air !

15. L'ombre des amis morts

1er février 1930

Me voici réparé. Je ne dirai pas comme neuf : ma toile, mes cloisons de contreplaqué commencent à se ressentir de trois mois et demi de nuits à la belle étoile, de pluie et d'embruns salés, sans parler des fientes d'oiseaux. Mais j'ai été solidement construit : en principe, je devrais résister aux 12 000 kilomètres qu'il me reste à parcourir...

6 heures

Le vent souffle légèrement de l'ouest. Contact, moteur ! Le Salmson tourne à la perfection. Il a été longuement testé hier et avant-hier, de même que toutes les pièces mécaniques. Tout va bien. La piste, cette tranchée qui part des cocotiers vers la plage, est un peu courte mais elle a été aplanie et damée, et le premier soleil a séché mes ailes. Marchesseau m'enlève comme une fleur, au ras de la mer indigo du petit matin.

Petit virage au-dessus des flots, puis Marchesseau me fait repasser au-dessus de Juan de Nova. Des bras s'agitent en bas. Adieu, amis pêcheurs, oubliés du monde…

Cap à l'est, nous retournons vers Tananarive, où Bourgeois veut se livrer à d'ultimes vérifications sur le terrain militaire d'Ivato avant le grand retour. De toute façon, au point de retard où nous sommes, quelques jours de plus ou de moins, qu'est-ce que cela peut faire ?

6 février 1930, premier jour du retour

Les tests effectués les jours précédents ont été satisfaisants. Tout a été vérifié, je ne devrais plus avoir de problème.

Décollage à 1 heure du matin, comme la dernière fois. Un violent orage nous a empêchés de partir hier, mes ailes sont encore trempées. Décidément, Madagascar ne me porte pas chance ! Mais je m'envole normalement et à

3 h 30 nous abordons le canal de Mozambique, vers 5 heures nous survolons Juan de Nova, et sans jets d'essence cette fois! À 8 heures, nous sommes à Quelimane. Accueil chaleureux, ravitaillement rapide et efficace... et pas de lion. A 9 h 15, nous décollons pour Elisabethville, que nous rejoignons d'une seule traite : 16 heures et 15 minutes de vol en une journée pour relier la capitale de Madagascar à celle du Katanga, soit 2 600 kilomètres! Un magnifique record!

— À ce rythme, nous sommes à Paris dans... commence un des hommes.

— À ta place, je me tairais! coupe un des autres.

C'est peut-être plus sage : depuis le début de notre aventure, les prévisions n'ont pas été exactement respectées...

Et puis, une nouvelle terrible attend mes hommes à Elisabethville, qui les incite à ne pas trop spéculer sur l'avenir : Roux, Caillot et Dodement, les trois aviateurs qui avaient survolé Jean-Michel Bourgeois à deux reprises, à bord de leur Farman Lorraine, qui lui ont si gentiment lancé un message de son épouse, sont portés disparus depuis trois semaines.

Ils ont décollé d'Elisabethville le 13 janvier pour Coquilhatville et, depuis, aucune nouvelle.

Il y a de forts risques qu'ils soient morts : on ne fait pas d'atterrissage de fortune dans l'immense forêt équatoriale, on s'y enfonce, comme dans une énorme masse spongieuse. Les arbres colossaux referment leurs ramures sur l'avion brisé, et c'est comme s'il n'avait jamais existé…

7 février 1930, deuxième jour du retour

Mes hommes sont sur le terrain d'Elisabethville à 4 heures du matin. Ils veulent décoller tôt, pour pouvoir rejoindre Bangui, à 2 000 kilomètres, avant la fin du jour.

Hélas, le brouillard est épais, et ne semble pas vouloir se dissiper.

— Tant pis, se résigne Goulette. Nous nous contenterons de rallier Coquilhatville !

Le temps passe et toujours le brouillard. À 8 h 30, enfin, il se dégage.

— Allons-y !

Mais Marchesseau est inquiet :

— Le moteur ne donne pas le maximum, il reste à 50 tours au-dessous de son régime…

La faute est à l'essence d'Elisabethville, d'une qualité plus lourde que celle pour laquelle mon

Salmson a été réglé : elle fournit une explosion moins puissante. En outre, le terrain se situe à 1 400 mètres d'altitude, l'air y est humide et moins porteur. Enfin, mes hommes l'avaient constaté au voyage aller, les pistes du Congo belge ne sont pas très bien entretenues, car les avions qui en décollent sont des trimoteurs très puissants, capables de s'arracher à des terrains boueux.

— Bah, on l'a déjà fait !

Et puis la piste est très longue, même si elle est bordée d'arbres immenses et menaçants : 1 000 mètres, cela laisse de la marge…

Contact, démarreur, moteur… Je commence à rouler lourdement, mes roues s'enfonçant dans la boue.

Marchesseau met les gaz à fond, mais cela ne semble pas suffisant, les arbres ne défilent pas assez vite de chaque côté. Le pilote insiste cependant, manette d'admission au maximum… Je roule, je roule, sans vraiment accélérer. Alors, il donne un coup de manche en arrière pour arracher mes roues… Il a déjà réussi plusieurs fois ce genre de décollage : une fois le train libéré du sol, mon moteur peut m'entraîner plus vite, j'acquiers de la portance, nous sommes sauvés…

Mais le Salmson manque décidément de puissance et l'air me soutient mal. Je retombe, mes roues s'enlisent à nouveau ! Nous sommes déjà à plus de la moitié de la piste. Marchesseau s'entête, main crispée sur les commandes, je reprends un peu de vitesse… Deuxième coup de manche, deuxième bond maladroit, deuxième échec. Et il reste moins de 200 mètres de piste devant !

— Je ne peux pas ! Je freine !

Manche au ventre, allumage coupé, Marchesseau me plaque au sol et actionne les freins. Mais des herbes, de la boue se sont accumulées sur mes roues. Au lieu d'accomplir une action progressive, les freins se bloquent. Et se renouvelle une scène déjà vécue : mon empennage se lève, mon nez pique vers le sol… Cette fois, hélas, nous allons beaucoup plus vite qu'à Tamatave : je ne m'appuie pas doucement sur la piste, je la cogne, je la laboure et me dresse en chandelle, tandis qu'hommes et bagages sont projetés violemment vers mon pare-brise.

Un immense instant de suspense, dans le fracas des objets qui tombent. Je reste en équilibre sur le nez, grinçant de toute ma carcasse, puis je retombe d'un coup sur mes roues, capot dans la boue, queue en l'air. Ce n'est donc qu'une demi-catastrophe : si j'avais basculé sur le dos, le voyage s'arrêtait là.

Long silence, après tout ce bruit. De l'essence glouglouté d'un réservoir percé, de menus mouvements signalent que mes hommes ne sont pas morts. Les gens d'Elisabethville arrivent hors d'haleine.

— Vous n'avez rien ?

Non, pas grand-chose, miraculeusement. Goulette souffre de quelques contusions, mais les autres sont indemnes.

Moi, en revanche, je suis en très mauvais état : mon aile gauche est déchirée et son bord d'attaque est défoncé jusqu'au longeron, mon hélice est gravement tordue, mon moteur est un bloc de terre grasse.

— Bon, soupire Bourgeois, il n'y a plus qu'à réparer, une fois de plus !

Hélas, son diagnostic est sans appel, quand il a fini de nettoyer mon capot et de m'examiner sous toutes les coutures : on peut rafistoler l'aile, reboucher les réservoirs et décrasser les cylindres, mais l'hélice est morte. Il faut en commander une en France...

— Combien de temps ? demande Goulette aux aviateurs belges d'Elisabethville.

— Oh, la dernière fois qu'il nous a fallu des

pièces, nous avons attendu quelque chose comme deux mois…

Deux mois ? Goulette s'énerve, farcit ses télégrammes de mentions « urgent », invite les usines Farman à faire au plus vite. Puis, ces formalités accomplies, il fait comme les autres : il écrit à sa femme. Il va avoir beaucoup, beaucoup de temps pour écrire à sa femme…

Les épouses se font une raison : leurs hommes ne peuvent pas maîtriser le temps ni les caprices d'une machine. Les jours où elles n'ont pas trop le moral, elles essaient de se consoler en pensant aux compagnes de Roux, Caillol et Dodement, qui n'ont plus personne à attendre…

4 mars 1930

Presque un mois à se ronger les sangs, dans la touffeur d'Elisabethville…

Mais un télégramme vient d'arriver : l'hélice de rechange a été acheminée par un bateau jusqu'à Boma, un port qui se trouve à l'estuaire du fleuve Congo, à 600 kilomètres vers l'ouest.

Goulette réserve une place de passager sur le gros trimoteur de la Sabena.

— Dans deux jours, je suis là avec ton hélice, Jean-Michel !

C'était oublier les lenteurs africaines : il ne revient que le 17. Treize jours pour parcourir 1 200 kilomètres aller-retour en avion.

— Je serais presque allé aussi vite à pied !

Bourgeois ne répond pas. Il déballe déjà l'hélice : il n'y a pas une minute à perdre, après cette si longue attente. Ils sont partis quand, déjà ? Le 17 octobre 1929, il y a cinq mois ? Oublions, oublions les contretemps : si tout va bien, Paris n'est plus qu'à quelques jours...

La réparation est vite terminée : suffisait de fixer quelques boulons. Les essais suivent immédiatement.

— Demain matin, si tout va bien...

Ils n'osent pas en dire plus, mes hommes, ils sont devenus fatalistes. Demain, peut-être...

Comme pour ajouter une couche à leur nouvelle prudence, un avion venu du nord apporte une information à laquelle on s'attendait : le Farman de Roux, Caillol et Dodement vient d'être retrouvé. Il ne s'est pas écrasé progressivement sur la forêt, ce qui aurait signé l'accident d'une trouée, il est tombé à la verticale, comme une bombe, avec une telle violence que le moteur Lorraine a été retrouvé enfoncé de 1,50 mètre dans le sol.

— Une tornade! Il n'y a que ça pour vous jeter comme ça à terre!

Les trois aviateurs ont été tués sur le coup. C'est peut-être mieux : ils s'étaient écrasés à 1 200 kilomètres d'Elisabethville, dans une des régions les plus sauvages du Congo belge, où les habitants n'ont pratiquement jamais vu d'homme blanc, et ne disposaient évidemment pas de moyens de soin modernes. N'être que blessés n'aurait fait que prolonger leur agonie...

— Demain, disent mes hommes, on leur jettera une gerbe.

19 mars

Cinq mois et trois jours depuis le départ.

Décollage dans la nuit, sans problème : le terrain est plus sec, et j'ai été allégé de tout un lot de bagages et pièces détachées superflus. Escale à Luluabourg (Kananga), décollage pour Brazzaville, au Congo français.

En début d'après-midi, Goulette indique à Marchesseau le point approximatif où se sont écrasés Roux, Caillol et Dodement. Rien n'est visible dans le moutonnement vert de la forêt mais Marchesseau insiste. Il nous fait accomplir des cercles et soudain une tache claire signale la carlingue fracassée au creux des arbres. Alors, tandis que je tourne, penché sur l'aile, autour de ce tombeau, Jean-Michel Bourgeois lance ses fleurs, de ce même geste large qu'avait eu Gaston Dodement, deux mois et demi plus tôt, en survolant Juan de Nova...

On ne parle souvent que de ceux qui réussissent. Mais pour un Blériot, un Garros, un Saint-Exupéry, combien de victimes anonymes, sur les routes lointaines de la conquête des airs ?

Il ne faut pas trop penser à cela. La route se poursuit. Nous atterrissons à Brazzaville à 17 h 20. Malgré les recherches au-dessus de la forêt, nous avons parcouru 2 000 kilomètres à une moyenne de 170 kilomètres/heure. Un excellent vol !

Fort de cette impression, Goulette, incorrigible, établit des plans pour un retour en cinq jours : Fort-Archambault (Sarh, dans le sud du Tchad), Niamey, Reggan, Oran, Paris. Trop pressé, une fois de plus...

Car le matin du 20 mars, impossible de décoller : le sable est trop mou, l'essence de mauvaise qualité, et la chaleur rend l'air léger et peu porteur. Marchesseau préfère renoncer : il n'a pas envie de me remettre sur le nez pour un mois et demi !

16. Vents de sable

21 mars 1930

Ce matin, le décollage peut se faire normalement, sur une bande de terrain spécialement aménagée pour nous. Escale à Bangui, arrivée à Fort-Archambault, après un vol de 1 800 kilomètres. Ouf, la chance nous sourit à nouveau !

22 mars

Décollage de Fort-Archambault, escale à Fort-Lamy (N'Djamena, capitale du Tchad), fin d'étape à Kano, dans le Nigeria anglais.

Un vol extrêmement pénible, par une chaleur infernale. La nuit dernière, apprennent mes hommes, il faisait encore 40 degrés à minuit ! Dans la journée, cette touffeur ajoutée au rayonnement du soleil fait de ma cabine un enfer, même avec le vent de la course et l'altitude. Goulette, Marchesseau et Bourgeois voyagent en caleçon, ne se rhabillant, par pudeur, qu'au moment de l'atterrissage !

Mais le souci majeur concerne mon moteur : l'air surchauffé porte jusqu'à de hautes altitudes un nuage de poussière sableuse venue du Sahara, que mon Salmson avale, bien que Marchesseau essaie de voler à plus de 2 000 mètres d'altitude.

— On recommence à manger de l'huile, cette poussière a attaqué les cylindres ! s'inquiète Bourgeois.

Mais il ne reste plus que trois, quatre étapes au maximum : mon moteur tiendra bien encore quatre jours, non ?

23 mars

Décollage de Kano en direction du Niger et Niamey. Une courte étape vers l'ouest, avant la reprise du voyage vers Paris.

— Vous croyez que nous verrons la tour Eiffel dans deux jours ? lance Marchesseau.

—Sûrement pas! s'exclame Bourgeois. Vous sentez ce que je sens?

Oui, hélas, car le méchant parfum s'accentue très vite : une sale odeur d'huile brûlée…

— Le sable d'hier! Il a dû boucher la pompe à huile!

Nous sommes encore à une demi-heure de Niamey et le scénario du retour Réunion-Madagascar se répète. Mais cette fois, aucun moteur de rechange ne nous attend à terre…

— Régime au minimum!

Je me traîne au-dessus de la savane et des forêts-galeries du fleuve Niger. Aucun endroit pour se poser en catastrophe. Le sort de Roux, Caillol et Dodement nous attend-t-il? Non, car voici Niamey à l'horizon. Nous nous y posons dans un épais nuage de fumée. Sauvés, une fois de plus! Du moins, mes aviateurs, car pour ce qui est de mon moteur…

À peine suis-je dans un hangar que l'infatigable Bourgeois sort sa caisse à outils et se glisse sous le Salmson. Son premier réflexe est de dévisser le bouchon de vidange d'huile. Ce qu'il y découvre lui arrache une grimace : de nombreuses rognures de métal s'y sont accumulées, indices d'une forte abrasion de certaines parties mécaniques. Bourgeois laisse couler toute l'huile, puis dévisse le carter.

— C'est bien ce que je craignais !

La double butée du puissant vilebrequin, qui transmet l'énergie des neuf cylindres à l'hélice, est rongée : la poussière de sable a bouché les trous de graissage, et le vilebrequin a tourné sans huile pendant de nombreuses minutes.

— Il faut changer les butées ! grommelle Bourgeois.

Il n'y a pas de butées de vilebrequin parmi les pièces détachées qui sont rangées au fond de ma cabine : qui aurait pu prévoir qu'un élément aussi bien protégé aurait pu rendre l'âme ?

— Désolé de vous l'apprendre, les gars, mais il va falloir encore attendre !

En région parisienne, les épouses reçoivent un nouveau télégramme. Battements de cœur, pendant quelques longues secondes. Non, ce n'est pas une mauvaise nouvelle. Enfin, pas trop. Au moins, ils ne sont pas morts. Mais ils vont être encore plus en retard… Ils avaient dit Noël de quelle année ?

13 avril 1930

Voici vingt jours qu'ils attendent à Niamey.

Les services français ont été un peu plus rapides que les services belges : les butées de vilebrequin viennent d'arriver... à Ouagadougou, en Haute-Volta (actuel Burkina-Faso), à 750 kilomètres de distance.

Le voyage des pièces lui-même a été une aventure : Paris-Dakar (au Sénégal) par un avion de ligne régulière, Dakar-Bamako (au Mali) par chemin de fer, Bamako-Ouagadougou (en Haute-Volta) par automobile !

— On y va tous, cette fois, d'accord ?

Personne ne rechigne : cette récréation est la bienvenue, après trois semaines d'ennui !

Une voiture du service des Travaux publics de Niamey les emmène. Quatre jours aller et retour, le dos brisé par les mauvaises pistes, à travers des régions hantées par les fauves...

Le 17 avril, dès le retour et malgré sa fatigue, Jean-Michel Bourgeois se remet au travail. C'est une réparation lourde : il faut démonter les grosses bielles de tous les cylindres, déposer le pesant vilebrequin, remplacer les butées d'acier spécial, remettre le vilebrequin en place, rajuster toutes les bielles, en profitant de l'occasion pour vérifier et remplacer si nécessaire leurs coussinets, nettoyer les cylindres au chiffon doux... Quatre jours de sueur, de graisse et de reins tordus, avant qu'il ne s'écrie :

— Contact !

21 avril 1930

Mon moteur tourne. Essais au sol et en vol. Tout va bien, pas d'échauffement anormal. Nous partirons demain.

— Si tout va bien ! précise prudemment Goulette.

17. Une fin inattendue

22 avril

Pas de mauvaise surprise : décollage à l'aube de Niamey, où j'aurai dormi un mois et demi, dans un hangar pour une fois. Et à 8 h 30, nous sommes à Gao, au Mali, la porte du désert.

Ouf, nous allons enfin quitter l'angoissante Afrique aux forêts interminables, aux savanes dangereuses ! Nous allons survoler le Sahara comme la dernière fois, peut-être nous poser entre deux dunes pour une nuit de silence absolu, si nous perdons à nouveau la fameuse piste Estienne. Et Paris… Non, ne pensons pas à Paris, cela ne porte pas chance.

À l'escale, les gars de Gao, les aviateurs militaires de l'Afrique-Orientale française, reniflent l'air d'un air inquiet.

— C'est le vent du nord qui se lève. Pas bon, ça !

— Pourquoi, pas bon ?

— Il apporte le sable du désert.

Du sable, encore ? Bourgeois fait la grimace. N'a vraiment pas envie de devoir se coltiner à nouveau la réparation du vilebrequin, mon Jean-Michel…

— Ce vent va souffler quand ?

— Dans la journée… Ce matin, sans doute, ça vient très vite !

— Et il dure ?

— Un, deux jours. Parfois plus, parfois moins. Quelquefois, c'est juste un rideau de quelques dizaines de kilomètres. De l'autre côté, l'air est libre. Mais il y a une telle poussière qu'on ne peut pas voler pendant plusieurs jours. Vous savez pourquoi, non ?

— Oh oui ! Ça nous a coûté vingt jours à Niamey ! Mais nous sommes pressés de rentrer, il faut qu'on passe avant cette tempête !

— C'est un pari : si c'est un petit vent, vous traverserez sans problème. Si c'est une grosse tempête de sable… Mais vous êtes grands garçons, prenez votre décision !

Ils se regardent tous les trois. Ils savent bien, Goulette, Marchesseau et Bourgeois, qu'ils vont jouer une fois de plus leurs vies. Mais ils ont tant attendu, ils se sont tant battus… Six mois et six jours qu'ils sont partis de Paris, pour une expédition qui ne devait prendre qu'un petit mois aller-retour !

— On passera. On en a vu d'autres !

Et la malchance ne peut pas frapper tout le temps ! Ce n'est pas possible !

Décollage à 10 heures, direction Reggan, face aux premières rafales du vent de sable.

11 heures

Une heure que nous volons. Le vent s'est levé. Des volutes rousses, en bas, balaient le désert, masquent de plus en plus souvent la piste Estienne, le fil conducteur vers le nord et la vie. Même en altitude, les bourrasques se font sentir, et le nuage, le mauvais nuage de poussière de sable, s'élève de plus en plus haut à l'horizon, devant.

— Nous n'avons pas dû parcourir plus de 120 kilomètres, avec ce vent de face. Il faut tenir. Nous avons dû passer l'oasis de Tabankort, ou ne pas en être loin. Bidon 5 est à trois heures au nord !

Midi.

Le sable, 1 500 mètres sous nous, glisse et arrondit ses tourbillons comme de l'encre jetée dans l'eau. Il y a bien longtemps que la piste Estienne n'est plus visible, qu'elle est perdue.

— Il faut faire demi-tour ! Si nous nous égarons dans le désert, nous sommes fichus !

Cap au sud. Marchesseau continue cependant à me faire exécuter des lacets à droite et à gauche, dans l'espoir de retrouver la piste entre deux bourrasques.

— La voilà ! crie soudain Goulette.

Quelques traces de roues apparaissent par intermittence.

— Qu'est-ce qu'on fait ? Si on pique au sud vers le Niger, on va accompagner la tempête, il n'est pas sûr qu'on puisse retrouver un terrain là-bas...

— Au nord ! Il n'y a qu'à essayer de traverser !

Au nord donc. En espérant que ce front roux qui déferle vers nous n'est pas trop épais. Mais les rafales se font plus violentes, le sable monte de plus en plus haut, tourbillonne en giclées épaisses, comme de la neige, et grésille sur ma carlingue.

— Mon moteur... gémit Bourgeois.

— Je descends à 500 mètres ! De toute façon, ce n'est pas pire qu'à 1 000 : ce sable est partout...

Entre deux vagues rousses, ils voient le sol en bas : un alignement infini de dunes, dont les crêtes fument telles les vagues d'un océan en furie. Le Salmson mouline bravement les mètres et Marchesseau se penche en avant derrière le pare-brise, dans une tentative irrationnelle de percer le rideau de vent qui se heurte à lui, de retrouver soudain le ciel bleu...

— Ah, je n'y vois plus rien !

Il me fait descendre progressivement, dans l'espoir de passer sous la nuée de sable. C'est une manœuvre qui réussit parfois, avec les vrais nuages : on peut trouver une lame de ciel libre, à quelques dizaines de mètres d'altitude. Mais le Sahara n'est pas un monde ordinaire : au ras des dunes, c'est encore pire. Il y a parfois une accalmie, comme nous volons plus bas que les crêtes, mais il faut bien regagner quelques mètres pour les franchir, et alors c'est la gifle de sable en pleine face.

Elle s'infiltre partout, cette maudite poussière rouge, c'était prévisible, et mon moteur recommence à chauffer.

— Je perds de la puissance !

Pourtant, il s'acharne, Marchesseau, il poursuit pendant dix, vingt minutes, son éprouvant jeu de saute-dunes : air presque pur à l'abri d'une crête, glissade au ras du sol ondulé, apparition fantomatique de la prochaine dune dans le pare-brise, augmentation des gaz, manche au ventre, bond au-dessus de l'arête fuligineuse de la montagne de sable, secousse du vent contre mes ailes, crépitement de milliards de grains sur mon pare-brise, réduction des gaz, descente prudente sur la pente exposée de la dune, arrivée dans un nouveau creux abrité, et ainsi de suite...

Mais le Salmson ne donne plus assez de puissance, il chauffe dangereusement, on risque de le griller définitivement en poursuivant ainsi. Alors, Marchesseau prononce une nouvelle fois ces mots :

— Atterrissage d'urgence ! Accrochez-vous !

Derrière, Bourgeois et Goulette répètent les gestes si souvent exécutés : caler au mieux ses pieds sur le plancher, ancrer ses mains aux poutres...

Marchesseau choisit rapidement un creux plus uni que les autres entre deux dunes. Cela semble presque aussi plat qu'une route, avec cette nappe rousse qui glisse comme de l'eau.

Le pilote coupe l'allumage, pousse le manche…
Mes roues touchent, commencent à tourner.

Le vent, hélas, a accumulé des congères de
sable mou, invisibles sous l'espèce de tapis uniforme créé par la fine poussière qui vole au
ras du sol…

— Attention, on accroche !

Marchesseau redonne des gaz. Trop tard ! Ma
roue gauche se prend dans une de ces aspéri-
tés, s'y plante, s'y bloque net.

Nous volons encore à près de 100 kilo-
mètres/heure. Le choc est d'une violence
extrême. Déséquilibré, je commence une bru-
tale embardée sur la gauche, mon aile touche
le sol. Un craquement terrible, une grande
secousse. L'aile arrachée cogne contre le fuse-
lage, emporte une partie de la carlingue au bout
de ses mâts tordus. Je me couche sur le côté et
laboure le sable sur plusieurs dizaines de
mètres. Puis je me tais et laisse la place au vent
hurlant du désert.

Cette fois, le voyage est vraiment fini…

18. Mourir de soif?

Ils sortent de ma carlingue, étourdis, se laissent glisser dos à ma coque, à l'abri du vent. Une fois de plus, ils ne souffrent que de quelques égratignures : des solides, mes hommes !

Moi, en revanche, j'ai fini ma carrière : une aile arrachée, l'habitacle éventré, je suis définitivement irréparable, n'en déplaise au talent de Jean-Michel Bourgeois.

— Bilan ? crie Goulette.

Il sait qu'il ne faut pas laisser le moral s'effondrer, qu'il est impératif que chacun se trouve tout de suite une mission. Il a fait la guerre, le capitaine Goulette…

— Il est 12 h 45, annonce Marchesseau. Nous avons volé deux heures et quarante-cinq minutes depuis Gao, mais nous avons tourné en rond. Nous devons être à environ 300 ou 320 kilomètres de Gao, tout près de la piste Estienne : j'ai encore vu des traces de roues il n'y a pas un quart d'heure !

— Bon, les équipes de recherche devraient donc nous retrouver sans problème ! L'eau, Jean-Michel ?

— Les bidons n'ont pas éclaté, heureusement. Il nous en reste 20 litres.

20 litres ? Ce n'est vraiment pas beaucoup : dans le désert, un Occidental a besoin d'au moins quatre litres d'eau par jour pour survivre…

— Eh bien chacun a fait de son mieux, l'avion aussi ! Reposons-nous en attendant que cette tempête se calme.

Et ils s'allongent à l'abri de ma carlingue, s'abritant tant bien que mal du sable, qui se glisse partout, dans les yeux, dans les oreilles, propulsé par un vent qui ne semble pas devoir faiblir. En revanche, ils n'ont aucun moyen de se protéger de la chaleur.

— Vous savez, les gars ? annonce Bourgeois. Je viens de mesurer la température du sol :

70 degrés !

À Paris, les gens de chez Farman ont préféré

ne rien dire aux épouses : le F-AJJB n'est signalé ni à Bidon 5 ni dans aucune des oasis de la piste Estienne, mais il s'est peut-être posé à un endroit où il n'y a pas de radio?

Tout espoir n'est pas perdu, les recherches vont commencer dès la fin de la tempête. Inutile d'inquiéter ces dames une fois de plus : elles ont assez pleuré...

Après-midi.

Le vent se calme progressivement mais une poussière rouge, fine comme une fumée, et qui crisse sous les dents, danse toujours dans le soleil, rendant la chaleur encore plus oppressante. Il faut se protéger la bouche avec des foulards, masquer aussi sa tête et ses bras contre le terrible rayonnement.

— Est-ce une illusion ou bien ai-je réellement vu des chameaux avant l'atterrissage? demande soudain Goulette.

— Tu as raison! confirme Marchesseau. Sur la piste. Des chameaux en liberté. Enfin, je crois, parce qu'avec tout ce sable...

— Il suffit d'aller voir. Tu viens, Jean-Michel?

Bourgeois s'arrache à son trou de sable. Ils s'éloignent tous les deux, dans la direction supposée de la piste, laissant Marchesseau à l'ombre de mon aile droite.

Ils marchent, un quart d'heure, une demi-heure, sous ce soleil de plomb et dans les restes de tempête, enfonçant dans le sable jusqu'aux chevilles. Quand ils se retournent, ma silhouette leur semble toujours toute proche : on évalue mal les distances, dans cet univers sans point de repère.

Soudain, un mouvement au loin :

— Les chameaux !

Ce n'est pas un mirage : une douzaine de dromadaires déambulent tranquillement là-bas, près de ce qui semble être les traces d'une piste.

— S'il y a des chameaux, il y a des gens ! Approchons-nous !

Les deux aviateurs marchent à pas redoublés. Cependant, à mesure qu'ils avancent, les dromadaires s'éloignent, maintenant toujours une prudente distance entre les hommes et eux.

— Ah, les sales bêtes ! Suivons-les quand même, ils nous mèneront à leurs maîtres !

Pendant une heure, aviateurs et dromadaires se poursuivent lentement dans le désert. Jusqu'à ce que Goulette s'écrie :

— Là ! Devant ! Ces masses noires ! Des tentes ?

Non, ce ne sont pas des tentes mais... des vaches! Des bêtes étiques, qui tirent leur maigre pitance des rares herbes sèches, mais de vraies vaches tout de même.

— Une chance que nous n'ayons pas volé une heure de plus, remarque Goulette : nous aurions été en plein Tanezrouft*, alors qu'ici, il y a encore un tout petit peu de végétation et sans doute de l'eau, puisqu'il y a des vaches!

Bourgeois, pendant ce temps, pointe du doigt les ruminants et compte : vingt-huit! Certaines portent des licous rudimentaires en corde de doum**. Donc les hommes ne sont pas loin...

— On les trouvera demain! Il faut rejoindre Marchesseau avant la nuit. Mais que fais-tu, Jean-Michel?

— Je rassemble les vaches! Si elles nous accompagnent, leurs propriétaires vont peut-être les chercher. Et ils nous trouveront!

C'est ainsi qu'à la nuit tombante, Marchesseau voit ses amis revenir avec un étrange butin : vingt-huit vaches maigres à faire peur, mais qui sont un signe d'espoir...

---

* Tanezrouft, qui signifie «Pays de la soif» est une des régions les plus arides du désert.
** Palmier.

Les vaches se couchent paisiblement autour de moi, pas plus intriguées que si j'étais une vulgaire tente, et s'endorment.

— Faisons de même, disent mes hommes : demain, nous serons sauvés !

24 avril 1930, 4 heures du matin

Jean-Michel Bourgeois s'éveille le premier. Son idée est de suivre le troupeau quand il repartira pour ses pérégrinations : les vaches ont besoin d'eau, elles le conduiront donc au puits le plus proche. Mais il jure en regardant autour de lui.

— Et flûte !

— Qu'est-ce qu'il y a, Jean-Michel ?

— Elles ont foutu le camp !

Le troupeau a filé dans la nuit, sans bruit, profitant sans doute des heures fraîches pour aller boire.

— Tant pis, il faut y aller. Sinon, nous allons manquer d'eau...

Cette fois, ils partent tous les trois ; le puits est proche, ils se sauveront ensemble !

Ils me laissent là, de biais sur la dune que j'ai éventrée de mon hélice, mon aile brisée loin derrière moi : une épave pitoyable...

Les traces des vaches sont encore visibles. Mes hommes marchent, marchent... Le soleil rougit à l'horizon. Dès qu'il décolle au-dessus de la mer de sable, il grille les trois amis qui avancent, tête basse, sans parler, fermés sur leurs pensées et leur souffrance.

Ils se traînent ainsi pendant cinq heures, jusqu'à ce qu'ils arrivent à une sorte de carrefour de pistes à demi effacées, où se lisent de vieilles traces d'automobiles. L'une de ces pistes part vers l'ouest, l'autre vers l'est. Les traces des vaches ne sont plus visibles. Il faut choisir : l'ouest, au hasard. Ils marchent encore, traînant la patte dans le sable...

Soudain, une forme noire au loin. Une vache retrouvée ? Non, c'est cubique et sombre. Une caisse ! Bourgeois force le rythme, arrive le premier près de cette trace de civilisation. La caisse est vide, mais, sur un côté, on peut lire : «À 5 kilomètres d'ici se trouve le groupe nomade du Timetrin, près du puits de Tebahalet. Suivez les traces des automitrailleuses.»

— Bon, cela veut dire qu'il y a un puits ! Parce que les automitrailleuses, il y a peut-être longtemps qu'elles sont parties nomadiser ailleurs... On continue ?

Mais Marchesseau n'en peut plus. Cela fait

six heures qu'ils traînent leurs pieds dans le sable et ils n'ont pratiquement plus d'eau.

— Non. Il vaut mieux rentrer. Nous ne sommes pas sûrs qu'il y ait un puits là-bas, alors que le Farman, nous savons où il est...

Ils s'en retournent, du même pas exténué, la nuque écrasée par le soleil. Trois, quatre, cinq heures, et ma carlingue n'est toujours pas visible. Ils n'ont plus la force de se disputer, de se demander si je suis bien derrière la prochaine dune. Ils n'ont même plus la force de s'entraider. Bourgeois, le plus solide, avance en tête, tendu vers une seule pensée : me retrouver. Goulette suit à une cinquantaine de mètres, Marchesseau est nettement à la traîne... Soudain, avisant un arbuste, il se laisse tomber à son ombre maigre.

— Continuez sans moi!

Bourgeois se retourne un instant, hésite. Non, l'avion d'abord! De l'eau. La vie...

Il se traîne encore, puis il s'effondre, à plat ventre sur le sable incandescent, sent l'effroyable chaleur le vider de ses dernières réserves d'humidité. On ne transpire pas dans le Sahara, on s'évapore... Rester là, c'est mourir. Lentement, il se relève, repart. Deux fois, dix fois, il s'écroule ainsi. Puis il distingue une tache claire, une ombre géométrique :

— Mon Farman !

Les derniers bidons sont là, à l'abri de ma carlingue.

D'abord il boit, goulûment puis en essayant de se contrôler. Il sanglote d'épuisement, les larmes voilent ses yeux. Puis il se relève, empoigne une gourde, commence à marcher vers Goulette qui arrive là-bas, à pas lents de vieillard... Mais il se ravise, revient vers moi, farfouille dans ma cabine, saisit une bouteille étincelante.

Et en se penchant vers Goulette râlant, il lui dit :

— Tiens, siffle un petit coup de rhum de La Réunion, ça va te remonter !

Il traîne son capitaine à l'ombre de mon aile, où celui-ci tombe dans une léthargie proche de l'évanouissement. Il reste lui-même allongé, haletant, pendant une dizaine de minutes, puis se relève, empoigne la gourde.

— Reste ici ! murmure Goulette. Sous ce soleil, tu vas tomber !

Bourgeois part quand même, à la rencontre de Marchesseau. Mais tout tourne, il bascule et s'écroule. Il a juste le temps de sentir sa joue heurter le sable brûlant...

Il fait nuit. Goulette est un peu reposé, Marchesseau est parvenu à rentrer par ses propres moyens, Bourgeois est resté sonné : il a dormi deux heures sous le soleil couchant, assommé de fatigue et de chaleur. Et pourtant, c'est lui qui propose de repartir, dès qu'un peu de nourriture lui a redonné des forces.

— Nous n'avons plus que huit litres d'eau. Si nous ne trouvons pas à boire demain, nous sommes morts ! Je ne pense pas que nous soyons sur la piste Estienne : elle serait plus fréquentée. Nous devons être sur une piste secondaire où personne ne nous cherchera... Je vais essayer de trouver ce puits qui est indiqué sur la caisse. Il doit être à 10, 15 kilomètres maximum. Je pars tout de suite, pour marcher dans la nuit.

Et sans demander leur avis aux autres, il prend une poignée de vivres, trois litres d'eau, et part. Pas vers le nord, cette fois, mais vers l'ouest : ce sera plus court, pense-t-il, que suivre ces pistes traîtresses...

La nuit est fraîche et étoilée, il progresse d'un assez bon pas. Parfois, il s'assied pour se reposer, il lui arrive même de s'effondrer de fatigue quelques minutes au pied d'une dune, jusqu'à ce que la fraîcheur le réveille. Alors il repart...

Quand le jour se lève, il reconnaît de grands alignements de dunes aperçus la veille. Il doit être dans la bonne direction. D'ailleurs, voici que le sol s'abaisse en une ébauche de vallée, et que des crottes sur le sol indiquent des passages d'animaux : le puits est proche !

Vers 7 h du matin, les traces d'animaux se font plus nombreuses et se transforment bientôt en petits sentiers. Et soudain au détour d'une dune, Jean-Michel Bourgeois aperçoit un troupeau de moutons ! Sa gourde est presque vide, il marche depuis treize heures ! Quelle distance a-t-il parcourue ?

Il avance encore, suivant les moutons qui trottinent et bêlent devant lui...

Mais qu'est cette silhouette verticale au flanc de la dune ? Un homme ?

— Monsieur ! Monsieur !

L'homme n'a rien entendu. Il marche, dans la mauvaise direction, s'éloigne, va disparaître...

— Hé ! Hééé !

L'homme, enfin, se retourne, il voit Bourgeois, s'exclame, accourt.

Il est grand, voilé de bleu, il porte un fusil en bandoulière et un poignard attaché au poignet gauche. Un Targui, comme on dit en ces temps, c'est-à-dire un Amazigh, un « homme bleu » du désert. Il y a des tribus rebelles dans la région.

« Ami ou ennemi ? » pense Bourgeois avant de tomber à genoux, en larmes.

L'homme se penche vers lui, prononce des paroles incompréhensibles mais douces. Bourgeois agite son bidon, fait couler les dernières gouttes d'eau dans le creux de sa main et les lape, dardant sur le Targui un regard suppliant.

L'homme a compris, fait signe à Bourgeois de le suivre. Il y a des tentes un peu plus loin. Une vingtaine d'hommes et d'enfants les entourent. On regarde le nouveau venu avec curiosité, mais sans agitation excessive. Visiblement, les Touaregs ont besoin de réfléchir à ce qu'ils vont faire de lui.

Dehors, assis sur une natte à l'ombre de la grande aile noire en poil de chèvre, les hommes palabrent un moment. Bourgeois s'est laissé tomber à terre, à bout de forces. Des enfants s'approchent et l'examinent. Il pense aux siens, qu'il ne reverra peut-être pas…

Les amis de Paris ont fait barrage pour rien : la nouvelle de la disparition du Farman F-AJJB est parvenue aux journaux, qui en font leurs grands titres. À l'heure où Jean-Michel Bourgeois supplie les Touareg de les sauver, lui et ses amis, son épouse tombe sur la presse du matin, qui annonce à grandes manchettes : «L'avion Goulette disparu dans le Sahara!»

Tout est bon pour appâter le lecteur, quand on est journaliste. Tant pis si les familles prennent les coups…

19. Épilogue

Les Touareg ont fini de conférer. Sans doute ont-ils pesé la part d'ennuis qu'ils risquaient dans l'un et l'autre cas. La part aussi de leur devoir d'hommes du désert envers un voyageur perdu, même s'il appartient à la caste exécrée des colonisateurs. Un des guerriers pasteurs lance un ordre, une jeune femme sort d'une tente, tend une calebasse pleine d'eau au mécanicien. Bourgeois boit, longuement, comme une bête. Puis, quand il a fini, il fait des gestes, montre le désert derrière lui, écarte deux doigts, secoue son bidon vide. Les Touareg le fixent attentivement, essayant de comprendre. La femme remplit le bidon, Bourgeois se relève, malgré ses treize heures de marche, malgré sa fatigue immense. Il fait signe que là-bas, il a deux amis qui attendent, qui sont peut-être en train de mourir. Les Touareg ne disent rien, le regardent s'éloigner. C'est une autre loi du désert : ta vie, tu la mérites...

Il est reparti sous le soleil de plomb. Mais plus vite, cette fois. Il chanterait presque tant il est heureux. Sauvés, ils sont sauvés ! À chaque fois qu'il le peut, il court, il ne sent plus le souffle brûlant du vent, l'énorme chaleur qui rayonne du sable, la morsure du soleil. Quand l'haleine lui manque, il marche un peu, puis se remet à courir dès que possible. À un moment, il s'exclame :

— Ça alors ! Dire que je ne l'avais pas vue en venant !

C'est une vaste étendue d'eau bordée de dattiers. Il fonce vers elle, pour s'y plonger avant de repartir vers ses amis. Mais voici que le lac disparaît ! Un mirage, un vrai, comme on en parle dans les livres d'aventures...

Au milieu de l'après-midi, enfin, il retrouve ma silhouette brisée au flanc de la dune, les formes immobiles de Marchesseau et Goulette qui ont de la peine à le croire quand il hurle :

— J'ai de l'eau !

Il avait marché et couru vingt heures dans

la nuit et sous le soleil. Il dort deux heures à peine et s'éveille pour aider ses amis à désentoiler mon aile brisée : le vent se remet à souffler, exhalant une chaleur de four. Le sable est plus chaud que jamais, il faut s'abriter.

Sous la tente improvisée, ils se sont creusé trois trous dans le sol, telles des tombes : le sable est plus frais en profondeur. Là, à l'abri du vent, ils laissent leurs pensées s'envoler. Marchesseau est épuisé et fiévreux, Bourgeois se repose de ses épreuves, Goulette a pris un crayon et griffonne des notes aux dernières lueurs du jour. Ils n'ont pas mangé, mais boivent abondamment. Demain, l'eau sera une fois de plus épuisée. Pas grave : il suffira de retourner au puits... s'ils en ont la force.

Ils essaient de méditer cette pensée vague : est-ce que nous pourrons, demain, marcher dix heures sous le soleil pour sauver nos vies? Mais on ne réfléchit pas loin, quand on est arrivé à un certain stade de fatigue : on pense à maintenant, quelquefois on ne pense pas du tout... Ils ne se parlent pas, se laissent glisser dans une espèce de rêve, entre le sommeil et la syncope.

Soudain, voici que deux silhouettes se dessinent dans la nuit, deux Touareg sur leurs dromadaires. Ils ont suivi la piste de Bourgeois, ils font des signes amicaux, se penchent, laissent glisser à terre deux grosses outres pleines d'eau.

Les cavaliers du désert observent un moment ma silhouette brisée puis adressent quelques signes à mes hommes.

— Je crois qu'ils veulent dire qu'ils reviendront demain, estime Bourgeois. Merci, mes amis, merci !

Les deux Touareg hochent la tête, font faire demi-tour à leurs montures et disparaissent dans le noir.

Le lendemain matin, ils sont là, toujours aussi silencieux, avec deux femmes et un mouton blanc : une offrande d'amitié et de paix. Un des Touareg tend son poignard à Goulette, qui est un peu embarrassé.

— Excusez-moi, mais pouvez-vous le sacrifier vous-mêmes ?

On peut avoir le courage d'affronter 20 000 kilomètres d'Afrique, avec toutes les embûches que cela suppose, et fléchir à l'idée d'égorger un mouton… Le Targui sourit, pique l'animal, que les femmes mettent à cuire sur un foyer pratiqué dans un trou de sable. Un délice ! Après le repas, les gens du désert s'en vont, laissant les aviateurs ici, près de moi. Ils doivent sentir que c'est là leur campement...

La journée est délicieuse, comparée aux précédentes, malgré la chaleur qui n'a pas diminué : il y a à boire et à manger d'abondance, les secours ne devraient plus tarder... D'ailleurs un bruit se fait entendre : un avion !

Mes hommes courent, finissent de massacrer mon aile brisée, en tirent le bois, l'arrosent d'essence et allument un grand feu. Mais l'avion passe au loin et s'éloigne, sans rien avoir vu.

Et c'est le lendemain matin, samedi 26 avril 1930, que le vrai salut apparaît, sous l'apparence d'un chamelier habillé de blanc, qui arrive avec les deux Touareg. Il fait baraquer sa monture, glisse de la bosse et salue à la militaire.

— Salam ! Moi Ahmadi Kulfaradji, goumier français ! Connaître officier ! Toi donner papier moi. Moi prévenir !

Goulette sourit au folklorique personnage. Puis il arrache une feuille à son carnet, griffonne une lettre, la tend au messager qui salue derechef et disparaît à l'horizon. Cet homme, normalement chargé de récupérer les dromadaires égarés, va parcourir d'une seule traite les 140 kilomètres qui le séparent du premier poste militaire, Tabrichat. Il fera trotter sa monture sans aucun arrêt pendant vingt-six heures! Cavalier et animal s'effondreront à l'arrivée au poste…

Mais les autorités, enfin, sont averties et le soir du 27 avril, à la fin de leur sixième jour de désert, les trois hommes allongés à l'ombre de mon aile entendent un bruit de moteur. Ce n'est pas un avion mais une automitrailleuse, qui bondit entre les dunes dans un nuage de sable! Près du chauffeur, Ahmadi, le goumier, fait de grands gestes. Assis à l'arrière, deux officiers français voilés de blanc.

— Vous êtes les aviateurs perdus? Mais tout le monde vous cherche sur la piste Estienne! Elle est à plus de 20 kilomètres à l'est : vous êtes sur une piste secondaire! Il y a au moins six avions qui patrouillent depuis trois jours entre Gao et Reggan pour vous retrouver : des militaires, vos amis de la Transafricaine… On peut dire qu'ils vous aiment, vos copains aviateurs! Pourtant, vous voyez, ce sont des piétons qui vous récupèrent! Comme quoi, les bonnes vieilles méthodes… Hein, vous avez vu la caisse, là-bas? Heureusement que vous n'avez pas suivi les indications sur la caisse, parce que ce signe de piste, il date d'au moins un an! Vous vous seriez perdus. Vous seriez peut-être morts! Eh oui, on l'a mis en place et on l'a pas enlevé en repartant… Mais l'essentiel, c'est que vous êtes sauvés! Bon, vous avez des bagages?

Un peu ahuris, mes hommes se secouent, ramassent leurs biens. Marchesseau récupère quelques instruments sur mon tableau de bord, pas parce qu'il en aura besoin mais en guise de souvenir, Goulette empoche ses cartes, le carnet de bord et ses précieuses notes, Bourgeois caresse une dernière fois mon capot et mon moteur mort.

— Adieu, mon vieux. Tu as été un fameux compagnon…

Ils se retournent plusieurs fois en marchant vers l'automitrailleuse. Ils m'avaient payé de leur poche et font une grosse perte financière. Mais je sais qu'ils abandonnent plus que cela : un outil fidèle, peut-être un ami. Et l'image d'un rêve…

L'automitrailleuse s'éloigne et je reste là, à demi planté dans le sable, disloqué.

Les Touareg vont venir. Tant mieux : j'ai encore de la toile, du bois, des ferrailles, des câbles, de l'essence. Je peux encore rendre un tout petit peu service à d'autres hommes…

Le temps des héros

LE RÉCIT :

Cette histoire est authentique. Les sources principales qui ont servi à écrire ce livre sont les journaux de l'époque, des revues et encyclopédies de l'aviation, et surtout le récit de Jean-Michel Bourgeois, envoyé à M. Gérard Ethève, un ami aviateur de La Réunion, et publié dans un *«Recueil de documents»* édité par l'Académie de La Réunion. Ce récit vient d'être partiellement publié dans *Escales*, la revue de bord de la compagnie réunionnaise Air Austral. Aucun autre écho n'a été donné à cet exploit hors du commun et ses nombreux rebondissements, dignes d'un film d'aventures. La carcasse du Farman… ou ce qu'il en reste après le passage de quelques générations de nomades récupérateurs, doit dormir au flanc d'une dune, à une vingtaine de kilomètres à l'ouest de la piste Estienne, à mi-chemin entre Tabankort et Aquelhoc.

***

LES HOMMES :

Des trois protagonistes de cette histoire, deux sont morts de manière dramatique dans les années suivantes.

Marcel Goulette accomplit plusieurs raids après l'aventure décrite dans ce livre : Paris-Téhéran, Paris-Saigon, deux liaisons Paris-Madagascar et retour, dont l'une en 9 jours et 17 heures sur un Farman 190, record Paris-Le Cap en 3 jours et 18 heures... Au cours de toutes ces expéditions, il semble que ni les machines, ni les hommes, ni les lions, ni le vent ne lui aient joué autant de tours qu'en 1929 et 1930. Mais un jour de 1932, Goulette rapatrie vers la France des amis qui viennent d'échapper à un drame terrible : l'incendie (peut-être criminel) du paquebot *Georges Philippar*, qui a fait des dizaines de morts, au large d'Aden. Avec ses deux rescapés, Goulette fait escale à Brindisi, en Italie, décolle pour la dernière étape, mais n'arrivera jamais au bout. On retrouvera l'avion et ses passagers fracassés sur les pentes du mont Ernici, dans les Apennins, à une centaine de kilomètres de Rome...

René Marchesseau, le pilote d'élite, participe à quelques autres raids, puis s'adonne à l'aviation commerciale : il organise le premier transport régulier de sardines fraîches entre Nantes et Paris, puis crée une école de pilotage à Thouars, avant de s'installer à La Baule. Un homme aussi fougueux ne pouvait rester indifférent au conflit dans lequel la France s'enfonce quelques années plus tard. Il s'engage dans le combat, et y laissera sa vie...

***

L'AFRIQUE COLONIALE :

La totalité des pays traversés par Marchesseau, Goulette et Bourgeois étaient des colonies des pays européens. On aura noté, dans le récit, que la hiérarchie des rôles y était très déterminée : aux Blancs les responsabilités, aux Noirs les rôles subalternes. Ceci au nom de «l'ignorance des indigènes»... Un contrecoup de la Seconde Guerre mondiale, qui ébranla les vieilles puissances, fut la décolonisation. Elle aboutit en quelques années à la création d'une nébuleuse de nations indépendantes, dont beaucoup ont changé de nom, parfois plusieurs fois depuis cette histoire. De même pour certaines villes (nous avons précisé les noms actuels entre parenthèses).

En revanche l'île de La Réunion, qui était française depuis 1638 (donc bien avant l'Afrique, qui avait été colonisée à la fin du XIXe et au début du XXe siècle), demanda à devenir département français à la fin de la guerre, à l'instar des trois autres «vieilles» colonies, qui étaient la Martinique, la Guadeloupe et la Guyane. Ces quatre anciennes colonies sont aujourd'hui des DOM ou départements français d'outremer.

***

LA RÉUNION ET L'AVIATION :

La Réunion, touchée par le virus de l'aviation après la visite du Farman F-AJJB, importa, par bateau, ses premiers appareils en 1933. Des terrains de fortune furent créés ici et là dans l'île et il y eut même des liaisons Réunion-Maurice et retour, dont l'une s'acheva par un double drame (un avion disparut corps et biens, puis un autre un mois plus tard, alors que son pilote était parti jeter une gerbe en mer en hommage à ses amis morts).

La seconde liaison France-Réunion ne fut réalisée qu'en 1936, sept ans après l'exploit de Goulette, Marchesseau et Bourgeois, et les liaisons aériennes régulières ne commencèrent qu'après la guerre, et l'avion détrôna peu à peu le paquebot, qui disparut au début des années soixante-dix. À cette époque, il ne fallait plus qu'une vingtaine d'heures et trois escales aux Boeing 707 pour relier l'île à Paris : le vieux temps du Farman était bien révolu.

Aujourd'hui encore, les appareils (qui parcourent désormais d'une seule traite les 10 000 kilomètres de La Réunion à Paris) se posent au même endroit qu'en 1929 : le terrain de Gillot. Mais il n'y a plus de banderoles pour les accueillir et les gêner, et les champs de canne ont été remplacés par des pistes modernes...

Une stèle, près de la tour de contrôle, commémore l'exploit de Goulette, Marchesseau et Bourgeois, et de leur Farman 192. Mais qui se souvient de leur longue et périlleuse épreuve, en une époque où l'on va à Paris d'une seule traite sans escale, en onze heures de confortable vol de nuit, avec dîner, boissons fraîches et cinéma à bord ?

Table des matières

Daniel Vaxelaire

L'auteur est un Lorrain installé à l'Île de La Réunion depuis plus de vingt ans, après des séjours à l'île Maurice et au Maroc. Il partage son temps entre l'étude du passé – notamment de l'histoire de l'océan Indien – et le développement des technologies nouvelles. Ce qui explique qu'à côté d'une abondante production de romans historiques, encyclopédies et livres d'histoire, il soit également scénariste multimédia (CD-Rom, bornes interactives). Il a également écrit des scénarios pour la télévision et la radio, et animé des stages de créativité littéraire pour la jeunesse.

Gwenn Keraval

L'illustrateur de la couverture est breton d'origine. Né en 1976 à Paris, il a grandi à la montagne, vers Grenoble. Il part ensuite à Lyon pour faire l'école Emile Cohl, puis, diplôme en poche, commence à dessiner. Il fait ses premiers livres avec Nathan, puis Milan. Une objection de conscience le ramène à Grenoble dans une association avec laquelle il édite *Le rêve d'étain* (E. ProMots) et fait de la mise en page. Il vit maintenant à Lyon, avec sa femme, également illustratrice. Il partage son temps entre l'illustration de livres pour enfants et le design de sites internets, et va bientôt être papa.

MAG 5

Cet
ouvrage,
le sept cent
quarante-quatrième
de la collection
CASTOR POCHE,
a été achevé d'imprimer
sur les presses de l'imprimerie
Maury Eurolivres
Manchecourt - France
en mars 2000

Dépôt légal : avril 2000.
N° d'édition : 4531. Imprimé en France.
ISBN : 2-08-16-4531-9
ISSN : 0763-4544
Loi n° 49-956 du 16 juillet 1949
sur les publications destinées à la jeunesse